GISÈLE FREUND

MÉMOIRES DE L'ŒIL

GISÈLE FREUND

MÉMOIRES DE L'ŒIL

SEUIL

ISBN 2-02-004629-6 pour l'édition brochée
ISBN 2-02-004647-4 pour l'édition reliée

sommaire

Mémoires de l'œil

Pour mes quinze ans, je demandai à mon père de m'offrir un appareil photo. Il me donna un Voigtländer de format 6 x 9. Comme tous les amateurs, je commençai d'abord à photographier ma famille, ensuite les gens dans la rue ou assis sur les bancs publics. Dès mes débuts, les êtres humains m'intéressèrent beaucoup plus que les monuments ou les paysages. J'appris à développer mes films moi-même et à tirer des copies à la lumière du jour. Des années plus tard, quand je vis pour la première fois des tirages d'Atget, je constatai qu'il avait utilisé le même papier sépia que celui de mon enfance. Quand j'eus passé mon bac, mon père m'offrit un Leica. A cette époque, c'était une nouveauté.

On m'a souvent demandé comment j'ai réussi à connaître tant de gens célèbres du monde des arts et de la littérature. La réponse est simple. Mon père était un grand collectionneur de tableaux et dès mon enfance il me révéla la beauté de l'art. Le dimanche, il me conduisait au musée et me commentait longuement chaque tableau. « Un bon peintre se reconnaît à la façon de peindre l'air, me disait-il, c'est ce qu'il y a de plus difficile. » La peinture abstraite ne l'intéressait évidemment pas; il collectionnait surtout les romantiques allemands. Je suis née sous le tableau aujourd'hui célèbre de Caspar David Friedrich, *les Falaises de craie de Rügen.* On le lui avait vendu comme étant une peinture de Carl Blechen (artiste allemand né à la fin du XVIIIe siècle), mais il identifia l'auteur de la toile. Il avait surtout peint en Italie, où il avait trouvé les paysages romantiques qui l'inspiraient. Blechen et mon père étaient nés dans la même ville allemande de Kottbus. Je me suis souvent demandé si c'était là la raison de son goût pour ce peintre.

Notre maison était un vrai musée; les murs disparaissaient sous les tableaux. Pour son studio, mon père s'était fait faire des meubles spéciaux où il rangeait les nombreux dessins et gravures qu'il possédait. Dès qu'il rentrait à la maison, après son travail d'homme d'affaires, il s'enfermait dans son studio et personne n'osait le déranger. Quand je lus *Tonio Kröger,* une nouvelle de Thomas Mann, il me sembla retrouver son image dans celle du père du héros. De haute taille, toujours soigneusement habillé, il aimait mettre une fleur à sa boutonnière. La mode était à la moustache Guillaume II et à l'allure martiale. Mais derrière cet extérieur un peu figé se cachait un homme extrêmement doux et sensible. Après sa mort, pendant les bombardements de Londres en 1941, sa collection fut vendue aux enchères en Suisse. Le magazine *DU* publia un numéro spécial. On loua l'unité exemplaire de cette collection amassée toute une vie durant avec tant d'amour et de persévérance. La plupart des tableaux furent achetés par des musées, où finissent, un jour ou l'autre, toutes les œuvres de valeur. Le portrait de mon père, peint par Max Slevogt, un impressionniste allemand, fut acheté par le Berlin Museum. Il est exposé dans une salle dédiée à ses contemporains: Käthe Kollwitz, Liebermann et tous les artistes et spécialistes de l'art qui avaient été ses amis.

La littérature m'a fascinée dès ma jeunesse : Thomas Mann, Franz Kafka, Bertolt Brecht et Traven étaient mes auteurs préférés. Encore écolière, j'assistais aux spectacles du théâtre *am Nollendorfplatz,* où Piscator mettait en scène les pièces d'avant-garde de Brecht, de Toller et de tant d'autres.

La vie d'un homme dépend autant de sa personnalité que des circonstances qui l'entourent et du hasard. J'avais voulu étudier la sociologie, et mes parents me laissèrent partir pour l'université de Francfort où enseignait Karl Mannheim. Mes autres professeurs furent le philosophe Horkheimer, l'esthéticien et muséologue Adorno et l'économiste Pollock; ce dernier donnait ses cours à l'Institut de recherches sociales que je fréquentais assidûment, surtout pour sa bibliothèque. En somme, je faisais partie du groupe qu'on appelle aujourd'hui l'École de Francfort.

André Malraux a dit dans un entretien que si l'on n'est pas un révolutionnaire dans sa jeunesse, on n'est pas digne d'être homme. Comme lui dans sa jeunesse, j'étais attirée par les idées les plus avancées. Jeune, on croit pouvoir changer le monde. Or, les conditions de vie dans l'Allemagne d'avant Hitler se radicalisaient d'année en année. La situation économique était désastreuse. En 1932, on comptait près de six millions de chômeurs. Le Parti communiste et le Parti national-socialiste entretenaient chacun des troupes paramilitaires qui s'affrontaient. L'université n'était pas exempte des dissensions politiques. Des groupes d'étudiants nazis attaquaient presque journellement ceux qui fréquentaient l'Institut de recherches sociales, connu pour son libéralisme. Quand Hitler prit le pouvoir, en février 1933, un des premiers actes de l'université nazifiée fut d'en chasser les professeurs libéraux, en somme tous ceux avec lesquels j'étudiais. Les dirigeants de l'Institut décidèrent de le dissoudre. Son siège fut d'abord transféré à Paris, puis aux États-Unis. Pour nous, étudiants, il n'était plus question de travailler. Des nazis en uniforme nous arrêtaient à l'entrée de l'université. Ils inspectaient le contenu de nos serviettes avant de nous laisser pénétrer à l'intérieur. Un journal ronéoté, distribué illégalement parmi les étudiants, et dans lequel on attaquait violemment le nouveau régime, avait fait son apparition. Nous étions directement impliqués : en fait nous l'éditions. Dans son dernier numéro, qui parut en avril 1933, nous avions publié les noms de tous les professeurs limogés et parlé de notre camarade Anne. Elle avait vingt-deux ans quand elle fut arrêtée au moment de distribuer notre journal. Quelques jours plus tard, ses parents virent arriver son cercueil. On l'avait assassinée. Sans doute avait-elle refusé de donner nos noms, car nous ne fûmes pas inquiétés. J'imaginai avec horreur les tortures qu'elle avait dû subir. J'admirai son courage et me demandai si à sa place j'aurais eu la force de résister.

Quand les historiens parlent de la résistance en Allemagne au régime hitlérien, ils ne mentionnent que le soulèvement des officiers de l'armée, en 1944. Mais déjà, en 1933, il existait des groupes isolés de résistants, composés surtout d'étudiants socialistes et des groupes de jeunesse communiste, qui furent rapidement liquidés par la Gestapo, car ils étaient mal organisés. Pendant des siècles, on avait inculqué aux Allemands le respect et l'obéissance envers l'autorité. L'esprit allemand était marqué par ces principes. La république de Weimar ne s'était maintenue qu'à peine plus d'une décennie. Hitler était devenu *Reichskanzler* par la voie légale. La très grande majorité du peuple allemand et surtout les millions de chômeurs espéraient qu'il remettrait l'économie en ordre et qu'il leur donnerait du travail. Personne ne pouvait prévoir l'étendue de la tragédie qui se préparait, la nuit et le brouillard dans lesquels l'Allemagne allait s'enfoncer.

Dans les moments de grand danger, mon instinct de conservation se réveille. Il m'a plusieurs fois sauvé la vie. Je me rendis vite compte que notre résistance serait de courte durée. Déjà nous avions quitté nos domiciles, mais le filet que la police tissait autour de nous se rétrécissait de jour en jour. La destinée de mon amie Anne m'avait remplie d'horreur. Seule fille qui restait de notre groupe d'étudiants, je décidai de m'enfuir. Ailleurs, j'ai raconté comment j'ai quitté l'Allemagne, cachant sur mon corps les photos que j'avais prises de camarades battus presque à mort[1]. Quelques jours après mon arrivée à Paris, j'appris que tous mes camarades avaient été arrêtés. Deux de mes photos furent publiées dans *le Livre brun* que Willi Münzenberg avait édité à Paris. Ce livre, qui fut traduit en plusieurs langues, révélait pour la première fois des faits précis sur la vie dans le Troisième Reich, son régime de terreur, ses camps de concentration,

1. *Le Monde et ma Caméra,* Denoël/Gonthier, 1970.

ses persécutions et ses meurtres. Pour les besoins de la cause, sans doute, les étudiants malmenés par les nazis devinrent, dans les légendes du livre, des ouvriers. Münzenberg avait tenu dans le Parti communiste un rôle comparable à celui que Goebbels joua chez les nazis. Tous deux étaient des spécialistes de la propagande. Tous deux auraient pu devenir des hommes d'affaires de grande envergure s'ils n'avaient fait passer avant tout leurs convictions politiques. En 1940, lors de la débâcle de l'armée française et avant l'arrivée des Allemands victorieux, les réfugiés étaient internés dans des camps; on les considérait comme des sujets ennemis. Dans les clauses de l'armistice qu'il négocia, le maréchal Pétain, devenu chef suprême de la France, acceptait de livrer les réfugiés politiques à la Gestapo, mais les gardiens des camps, policiers ou soldats du contingent, laissèrent délibérément s'enfuir qui voulait. Le peuple français, s'il avait été consulté, n'aurait jamais approuvé cette clause infamante pour l'honneur de la nation. Münzenberg, qui avait tout à craindre de la Gestapo, même si ses engagements politiques n'étaient plus dans la ligne de son parti, s'enfuit avec deux camarades. Quelques jours plus tard, on le retrouva pendu à un arbre dans une forêt proche de Marseille. Il avait été assassiné par ses compagnons, sur l'ordre du parti de Staline qu'il avait servi tant d'années durant.

Je suis arrivée à Paris avec une valise qui pesait deux kilos, mon Leica, et sans un centime. Mes parents auraient aimé m'envoyer des subsides, mais l'administration hitlérienne interdisait tout envoi d'argent à l'étranger. Au début, un comité d'aide aux réfugiés m'alloua un peu d'argent. Mais le problème financier ne m'inquiétait pas outre mesure. J'avais vingt ans et j'envisageais l'avenir avec confiance. En France, je me sentais enfin libérée de cette horrible oppression qui m'avait empêchée de respirer dans le pays où j'étais née. Mon père m'avait mise en garde. « Avec tes idées, tu finiras en prison. » C'est ma mère qui fut emprisonnée. Au moment de l'avènement de Hitler, mon frère, qui avait fini ses études, ne voyait plus la possibilité d'exercer un métier en Allemagne. Il émigra donc en Angleterre en compagnie de sa jeune femme qui était de pur sang aryen. Ma mère, qui adorait son fils, voulut lui venir en aide. Elle eut l'idée naïve de coudre quelques monnaies en or dans les vêtements usagés qu'elle lui envoya à Londres. Les douaniers allemands, en soupesant ces vêtements curieusement lourds, les découvrirent, et elle fut jetée en prison. Imaginez une bourgeoise ne connaissant pas grand-chose hors du cercle étroit de sa famille, en prison, avec des prostituées et des voleuses...

Mon père devenait fou. Il adorait sa femme. Pour lui commença un long chemin tortueux au bout duquel il espérait trouver le moyen de la tirer d'affaire. En attendant, ma mère, qui ne pouvait jamais rester inoccupée, demanda à travailler dans l'un des ateliers de la prison. On la dirigea sur un atelier de fabrication de vêtements. Chaque prisonnière devait coudre sa pièce toute seule. Ma mère observa leur travail, puis proposa à la surveillante de l'organiser différemment. Sur son instigation, chaque prisonnière devait dorénavant ne coudre qu'une partie du vêtement, toujours la même. Le rendement fut triplé. Ma mère avait introduit le taylorisme en prison.

Quelques mois plus tard vint son procès; elle fut présentée au juge, mais son dossier avait disparu.

Les juges allemands ont toujours été choisis parmi les nationalistes de droite, mais ils détestaient les hitlériens et leurs méthodes brutales. De plus, ils étaient surchargés de travail, parce que n'importe quel nazi du parti pouvait dénoncer n'importe qui, et les prisons étaient surpeuplées. Le greffier ne trouvant donc plus le dossier, l'irritation du juge était à son comble. Sans arrêt il devait décider de cas futiles, sur des dénonciations sans fondement. « Encore un de ces cas », grommela-t-il dans sa barbe. « On a enfermé cette femme pour rien. Elle est libérée ! » décida-t-il, et ma mère put quitter la prison sur le champ. Le juge ne pouvait pas savoir que mon père avait remué ciel et terre pour faire disparaître le dossier et réussi à soudoyer le greffier.

Mon père, qui jusque là s'était senti profondément allemand, qui pouvait identifier ses ancêtres germaniques, qui avait défendu sa patrie pendant la guerre de 1914-1918 et croyait aux lois et à l'ordre, comprit enfin qu'il lui était devenu impossible de vivre en Allemagne. D'abord il avait jugé les nazis avec dédain, comme tant d'autres bourgeois à l'existence paisible et protégée. Désormais il les haïssait. Mon frère et moi, nous fûmes soulagés quand nos parents quittèrent l'Allemagne, en 1938, peu de temps avant la Deuxième Guerre mondiale, pour se fixer en Angleterre. Mais de quoi allaient-ils vivre? L'administration hitlérienne les avait laissés partir sous condition de ne rien emporter. Un jour, je reçus une grande enveloppe imprimée et ouverte, sans nom d'expéditeur. Mon cœur faillit s'arrêter quand je découvris qu'elle contenait deux gravures originales de Rembrandt d'une très grande valeur.

Les nazis obligeaient les musées à vendre les œuvres qu'ils jugeaient appartenir à « l'art dégénéré », et, avant tout, celles des artistes juifs. Rembrandt était de ceux-là. Le directeur du musée national de Berlin, un ami de mon père, lui avait vivement conseillé d'acquérir ces deux gravures célèbres, de dernière main. « Même si vous ne collectionnez pas Rembrandt, cela pourra vous rendre service », lui avait-il dit.

Mon père était l'un de ces collectionneurs, aujourd'hui très rares, qui achetaient des œuvres d'art pour leur seul plaisir, sans les considérer comme des investissements, et il s'était laissé convaincre. Il vendit ces deux gravures à Londres, ce qui lui permit de vivre modestement. De plus, par un heureux hasard, une partie de sa collection fut exposée en Suisse à la même époque. Comme cette collection, uniquement composée d'œuvres allemandes, témoignait pour l'art germanique, on lui avait permis de la montrer à l'étranger. Mon père devait vendre *les Falaises de craie de Rügen* de Caspar David Friedrich au célèbre collectionneur suisse, le Dr Reinhardt, qui fonda ensuite à Winterthur un musée dédié à la peinture romantique. Ce tableau en est aujourd'hui la plus belle pièce.

Peu de temps après mon arrivée à Paris, mon ami Horst réussit à me rejoindre. Il avait vingt-deux ans et était écrivain. Pour son premier roman, publié juste avant l'accession de Hitler au pouvoir, et qui avait paru comme feuilleton dans un journal berlinois, il avait reçu une somme appréciable. Il en avait mis une partie de côté. Nous louions deux chambres dans un petit hôtel du quartier Latin. Virginia Woolf a écrit une nouvelle, *A room for one's own,* sur la nécessité pour un écrivain d'avoir une chambre à soi. L'hôtelier, qui était au courant de nos modestes moyens, voulait nous persuader de vivre dans une seule pièce. Sa moralité – nous n'étions pas encore mariés – ne s'en trouvait pas incommodée. Mais quand nous exprimions le souhait d'inviter sa fille, du même âge que moi, à s'asseoir avec nous à la terrasse d'un café du boulevard Saint-Michel, il s'y opposait. « Ma fille pourra sortir autant qu'elle voudra, une fois mariée, expliquait-il, mais aussi longtemps qu'elle est jeune fille, elle doit rester avec ses parents. »

Un jour la police arriva. Nous avions été dénoncés pour immoralité : nous faisions tous les matins, plus ou moins vêtus, et chacun devant sa fenêtre, de la gymnastique. Cette pratique hygiénique avait choqué les habitants d'en face, qui se trouvaient pourtant éloignés de nous par une place publique et avaient dû se servir de jumelles pour nous observer... Nous restions perplexes devant les manifestations de la moralité française.

Bientôt nous n'eûmes plus un centime et il fut urgent que l'un de nous gagnât de l'argent. Mon ami passait toute la journée devant sa machine à écrire. Il envoyait ses articles à de nombreux journaux avec l'espoir de les voir publiés. Au bout d'un certain temps, il aurait pu couvrir les murs de sa chambre de formulaires de refus, imprimés d'avance.

Le frère de mon ami, Wolfgang Schade, était rédacteur en chef de la

Kölnische Illustrierte. Il connaissait mon enthousiasme pour la photographie et m'encouragea à faire des reportages. Je l'avais rencontré plusieurs fois. Il était le type même du journaliste toujours intéressé par les idées nouvelles. Très grand, il portait d'énormes lunettes en écaille. Fait prisonnier durant la dernière guerre, il mourut du typhus dans un camp en Russie. Il était inquiet de voir son frère exercer le métier d'écrivain, une profession hasardeuse qui ne nourrit que très rarement son homme. Il lui avait offert plusieurs possibilités de travail, mais Horst, obsédé par l'écriture, les avait toutes refusées. Wolfgang Schade savait que je préparais une thèse sur l'histoire de la photographie en France, ce qui l'intéressait beaucoup. Lui-même avait publié un album de photographies historiques[1].

« Il faut d'abord que tu apprennes à voir une histoire en images, m'écrivait-il. Elle doit comporter un début et une fin. Autour d'une photographie symbolique qui contient déjà l'histoire et qui indique son lieu, il faut bâtir des séquences qui la racontent en détail. » Cette manière de composer un reportage devait être réalisée d'abord en Allemagne et imitée ensuite par tous les illustrés du monde. Je fis un de mes premiers reportages sur le Guignol du jardin du Luxembourg. Une photo d'ensemble montrait les enfants dans la salle et une partie de la scène. Puis je choisis un petit garçon et une petite fille, assis côte à côte, et, pendant le spectacle, je pris toute une série de clichés montrant les expressions changeantes de leurs visages, gaies ou tristes, effrayées ou ravies, qui reflétaient fidèlement l'action de la pièce. Le reportage fut publié à mon grand plaisir. Par la suite, je fis plusieurs reportages par mois, ce qui nous permettait de vivre. Horst voyait mes succès d'un mauvais œil. Il se sentait diminué puisque c'était moi qui gagnais de l'argent. Il devenait d'une susceptibilité extrême et, un an plus tard, nous nous séparâmes.

Dans les années trente, la femme n'était pas reconnue l'égale de l'homme. J'en eus la preuve quand je me mariai, quelques années plus tard, avec un Français. Je n'avais pas le droit d'ouvrir un compte en banque sans la permission écrite de mon mari. J'avais besoin de sa signature pour obtenir un passeport. Pour toutes les affaires légales, je devais faire appel à lui. Lorsqu'il fut mobilisé, en 1939, il me laissa une douzaine de feuilles blanches ornées de sa signature pour m'épargner des tracas avec l'administration.

Mes expériences photographiques étaient purement empiriques : je décidai de suivre des cours. Man Ray avait une très grande réputation. Je me rendis donc chez lui, rue Campagne-Première,

1. Wolfgang Schade, *Europäische Dokumente. Historische Photos aus den Jahren 1840-1900,* Union Deutsche Verlagsgesellschaft, Stuttgart-Berlin-Leipzig, s.d.

et le trouvai assis dans un fauteuil, une fille sur chaque genou. Je lui demandai de me prendre comme élève. « D'accord, me dit-il. Cela vous coûtera douze cents francs par mois. » J'étais interdite. Je gagnais moins pour vivre et dus renoncer à devenir son élève. Plus tard, une fois devenus amis, nous avons ri en pensant à cette époque.

On m'indiqua Florence Henri. Elle aussi prenait des élèves. Son studio se trouvait dans une petite rue proche du boulevard Raspail. Je fus tout de suite conquise par son charme et la grande gentillesse avec laquelle elle me reçut. Ses conditions étaient acceptables pour ma maigre bourse. Florence était peintre et photographe : elle avait été élève au Bauhaus où Moholy-Nagy avait enseigné. A l'époque, elle vivait surtout du portrait. Elle faisait ses images avec un grand appareil à plaques qu'elle retouchait soigneusement. Sa clientèle bourgeoise n'aurait pas accepté autrement ses photos. Elle voulait bien m'enseigner la retouche. J'y étais tout à fait opposée, et comme je travaillais avec un Leica de dimensions très réduites, ses recettes ne pouvaient pas m'être utiles. Par la suite, j'ai fait beaucoup de portraits, mais sans jamais les retoucher.

Florence appréciait mes résultats incertains d'un froncement de son beau visage. Elle essayait aussi de me révéler la manière d'illuminer une tête. Elle fit mon portrait et je fis le sien, dont je possède encore une copie, mais elle garda le négatif en disant : « En vérité, c'est moi qui ai fait mon portrait. » Après une demi-douzaine de séances, elle me déclara avec son franc-parler : « Vous ne serez jamais une bonne photographe. Chez moi vous dépensez votre argent inutilement », et elle me mit à la porte. Florence ne se doutait pas que je l'avais payée avec l'argent que me rapportaient mes reportages.

Des années plus tard, en 1946, on donna un spectacle dans un théâtre parisien au bénéfice d'Antonin Artaud qui vivait dans la plus grande misère. A cette occasion on me demanda de projeter ma collection en couleurs d'écrivains. Florence Henri se trouvait parmi les spectateurs. Nous nous rencontrâmes après la présentation. Florence, bien qu'un peu vieillie, avait toujours son charme et son franc parler. « Je ne vous aurais jamais cru capable de faire d'aussi bons portraits », s'exclama-t-elle. Puis elle me raconta qu'elle avait abandonné la photographie mais qu'elle continuait à peindre. Elle louait son studio et habitait maintenant une petite maison dans un village des environs. Aujourd'hui, elle a plus de quatre-vingts ans et ses photographies de l'époque du Bauhaus sont célèbres.

Après ces deux échecs, je n'ai plus jamais essayé d'être l'élève de qui que ce soit.

En 1936, je soutins ma thèse à la faculté des Lettres où je m'étais inscrite dès mon arrivée à Paris. Je l'avais commencée sous Karl Mannheim, mais c'est Norbert Elias qui m'en avait donné l'idée et me guida dans mes premières recherches. La Sorbonne accepta ma thèse; je lui fus reconnaissante de son libéralisme, car mes professeurs ne partageaient pas toutes mes idées. Quelques amis, parmi eux Walter Benjamin, étaient venus s'asseoir dans l'amphithéâtre où la soutenance avait lieu. La thèse fut imprimée par *la Maison des amis des livres* qui appartenait à Adrienne Monnier. Elle qui n'avait jusqu'alors publié que des poètes fut impressionnée par la façon dont j'avais traité le sujet.

La même année parut le premier numéro de *Life* et je fus un des premiers photographes du magazine. A ses débuts, *Life,* qui devait devenir le plus important illustré du monde, n'avait engagé fermement que trois photographes : Marguerite Bourke-White, Peter Stackpole et Thomas McAvoy. Une grande partie des reportages fut donc confiée à des photographes indépendants, des *free-lance* comme moi. Mon premier reportage pour *Life* parut en décembre 1936 sous le nom de Girix, d'après les deux premières lettres de mon prénom et de celui d'un ami qui collaborait avec moi à cette époque. D'autres reportages devaient suivre. Mes études étaient terminées, je pouvais me consacrer entièrement à la photographie.

Même si le travail d'un reporter photographe est incertain et ne vous donne pas une sécurité matérielle, il est passionnant, car il dépend entièrement de votre propre initiative. Dans la plupart des cas, c'était à moi de trouver le sujet. J'ai déjà dit ailleurs qu'il me semble inutile de passer par une école de photographie si l'on veut devenir reporter photographe. Aujourd'hui, plus que jamais, les appareils sont tellement perfectionnés qu'on ne peut plus « rater » une image. Mais ce que l'on voit sur cette image dépend entièrement de l'œil qui est derrière la caméra. Pour devenir un bon photojournaliste, il me semble indispensable de posséder une solide formation de base, d'avoir des notions de sociologie et de psychologie, de connaître des langues étrangères et de savoir se comporter dans n'importe quelle situation. Mais, avant tout, il faut aimer les êtres humains.

Le cercle restreint de mes amis se composait surtout de jeunes écrivains; la littérature m'intéressait beaucoup. Je fis la connaissance de Jean Paulhan, l'éminence grise des lettres françaises durant quarante ans. Il s'intéressa immédiatement à moi et me fit connaître les écrivains que publiait la *Nouvelle Revue française,* fondée par André Gide et Jean Schlumberger en 1909, et qu'il dirigeait depuis 1925.

On y rencontrait tout ce qui avait un nom, mais aussi de jeunes talents au début de leur carrière et qui devaient devenir des écrivains de renommée mondiale : André Malraux, Jean-Paul Sartre, Albert Camus, parmi d'autres.

En 1933, Malraux obtint le prix Goncourt pour *la Condition humaine.* Lors de la réédition du livre, deux ans plus tard, il me demanda de faire son portrait. Sachant que je vivais dans une situation matérielle précaire, il avait sans doute voulu m'aider en faisant appel à moi. Les éditions Gallimard me réglèrent le prix de la photo que Malraux avait choisie et l'utilisèrent depuis je ne sais combien de fois. Malraux n'eut pas à regretter son geste. Aujourd'hui cette photo est connue du monde entier et, parmi les milliers d'images qui ont été faites de lui au cours des années, c'est celle-là qu'il préférait. A cette époque, Malraux avait une trentaine d'années et touchait à la gloire. Quant à moi, c'était mon premier portrait d'écrivain. Bien d'autres devaient suivre dès que j'eus découvert la magie de la couleur.

Les films en couleurs pour amateurs, de format 35 mm, furent vendus en France pour la première fois en 1938. On pouvait choisir entre le Kodachrome et l'Agfacolor. Aucun de mes collègues ne voulut s'en servir. D'une part, ils étaient beaucoup plus onéreux que les films noir et blanc et, d'autre part, sauf de très rares exceptions, les revues françaises ne possédaient pas les machines qui convenaient à l'impression de clichés en couleurs. En revanche, *Life,* aux États-Unis, reproduisit des images en couleurs dès son premier numéro.

Mes trois premières photos en couleurs furent la vitrine d'un coiffeur, les feux au coin d'une rue, et une pissotière; les deux suivantes, les visages de Paul Valéry et d'Adrienne Monnier. A cette époque, Adrienne avait une quarantaine d'années et était célèbre dans les milieux littéraires. Sa petite librairie, au n° 7 de la rue de l'Odéon, était un lieu de rencontres d'écrivains réputés, mais aussi de ceux qui voulaient le devenir, et d'un public qui aimait la littérature. Elle ne vendait pas seulement des livres, mais avait aussi une bibliothèque de prêt. Un jour, en 1935, je pris un abonnement chez elle pour mieux connaître la littérature française et nous fîmes connaissance. Adrienne aimait les grands écrivains allemands et surtout les musiciens, mais les persécutions nazies la remplissaient d'horreur. Elle voyait en moi une victime. Ma détermination à vouloir coûte que coûte terminer mes études éveillait son estime. J'étais alors une jeune femme très simple, avec des cheveux marron coupés court. J'avais une peau très fraîche et j'étais en excellente santé. Je le devais à un miracle.

Enfant, j'avais eu la poliomyélite et étais restée paralysée pendant un an. J'avais appris à marcher de nouveau et, jusqu'à l'âge adulte, on m'avait donné chaque jour des leçons de gymnastique. A vingt ans, j'étais devenue presque athlétique. Mais j'ai gardé une faiblesse des hanches et des jambes : je tombe souvent. Cette faiblesse est à peu près tout ce qui m'est resté de cette terrible maladie. Des années plus tard, alors que je traversai la Patagonie à cheval, on dut me fixer à ma selle avec un lasso pour m'empêcher de tomber. Le petit cheval indien se rendit vite compte qu'il n'était pas gouverné, et quand l'envie le prenait il m'emportait dans un galop sauvage. Un cavalier dut le tenir par la bride. C'était plus rassurant.

Quand l'idée me vint de constituer une collection de portraits en couleurs des écrivains de l'époque, Adrienne Monnier, toujours intéressée par la nouveauté, s'enthousiasma pour cette initiative. Grâce à elle, beaucoup de portes se sont ouvertes à moi.

Entre le printemps de 1938 et le début de la guerre, en septembre 1939, j'ai réalisé des centaines de portraits en couleurs pour mon plaisir et de nombreux reportages pour gagner ma vie. La majeure partie de cette collection a survécu à la guerre.

Comme je l'ai déjà dit, il n'y avait pour ainsi dire aucune possibilité avant 1939 de publier des photos en couleurs. *Time Magazine* me chargea de faire le portrait de James Joyce à l'occasion de la sortie de *Finnegans Wake*. La photo parut le 8 mai 1939. Quant au portrait de Colette, il fut imprimé dans *l'Annuaire de la photographie* que publia Arts et Métiers graphiques, en 1940; c'était la seule photo en couleurs de cet album, et aussi la seule que je réussis à publier en France à cette époque.

La guerre me surprit en Angleterre, mais quelques mois plus tard je retournai en France. Je sentais que ma place était dans le pays qui m'avait si généreusement accueillie.

Les services du ministère de l'Information que dirigeait l'écrivain Jean Giraudoux me remirent une carte de presse, mais il n'y avait presque rien à faire : les journaux ne publiaient que des nouvelles militaires.

En février 1940, lors de la présentation de la mode d'été de la haute couture, *Life* me demanda un reportage. On était curieux, outre-Atlantique, de savoir ce que cette mode devenait en temps de guerre. *Life* loua donc un grand studio professionnel, engagea les modèles et fit venir aussi deux caisses de champagne. Schiaparelli avait inventé des bas en couleurs; Piguet, des robes du soir en taffetas chatoyant; les robes de Lucien Lelong étaient surtout sportives, et, chez Molyneux, elles moulaient le corps d'une façon provocante. *Life* fit paraître sur deux pages six de mes photos en couleurs, choisies parmi les centaines de clichés que j'avais fournis. Le reportage avait été conçu selon le principe du *blanket coverage :*

photographier une histoire dans ses moindres détails mais ne publier qu'une infime partie des photos rassemblées. Je fis un rapide calcul. Cela avait mobilisé une dizaine de collaborateurs du bureau de *Life* à Paris, coûté la location du studio, la paie des modèles, l'achat des caisses de champagne, des films et des lampes, enfin le prix de mon travail, sans doute le poste le plus modeste du budget. Au total, une jolie somme. *Life* a dépensé de la sorte des millions de dollars.

Life avait aussi inventé le *star system.* Les noms des photographes – ceux qui faisaient partie de la rédaction – furent toujours mis en vedette et connus du grand public. On créait ainsi la légende du grand reporter photographe qui a fait rêver tant de jeunes séduits par ce métier. La disparition de *Look* et de *Life* a entraîné celle du *star system,* et s'il existe encore des centaines de magazines illustrés dans le monde, la place qu'on y alloue aux reportages a considérablement diminué.

Time me réclama ensuite un portrait de Gamelin, chef d'état-major de l'armée française, mais à peine la photographie terminée, le général était relevé de son commandement.

Les événements se précipitèrent. Le 10 juin 1940, le gouvernement quittait Paris. Trois jours plus tard, la veille de l'arrivée des troupes allemandes, à l'aube, je partis à bicyclette. Sur le porte-bagages j'avais fixé ma petite valise, celle avec laquelle j'étais arrivée à Paris sept ans plus tôt.

Voitures, charrettes, bicyclettes, réfugiés à pied encombraient les routes. Je réussis à trouver une petite chambre dans un village du Lot. Je n'imaginais pas qu'elle allait être mon refuge pendant deux ans. Mon mari, lui, parvint à s'échapper du camp de prisonniers où il était détenu. Les Allemands recherchaient les femmes des prisonniers évadés et, de plus, je figurais certainement sur les listes de la Gestapo. Victoria Ocampo, la directrice de la revue littéraire *Sur,* m'avait invitée, avant-guerre, en Argentine. Grâce à elle, j'obtins un visa argentin. Mais, pour quitter la France, il me fallait un visa de sortie délivré par Vichy. Un gendarme vint chez moi faire une enquête. Il vit sur les murs de ma chambre les photographies de Gide, de Valéry et de Claudel que j'avais emportées dans ma valise, et il me demanda qui étaient ces gens. Quand il apprit que c'était moi qui avais photographié ces écrivains célèbres, il me considéra avec respect et fit un rapport favorable. J'eus encore un certain nombre de difficultés à vaincre avant de réussir à m'embarquer à bord d'un bateau espagnol en partance pour Buenos Aires.

J'arrivai en Argentine sans un sou en poche. Ce problème d'argent aurait pu être facilement réglé si j'avais accepté de « tirer les portraits » des membres de la haute société argentine. Mais j'aurais dû accepter les mêmes concessions que Florence Henri de son temps, c'est-à-dire user de la retouche. Je préférai me consacrer aux reportages. Alors commencèrent pour moi les grands voyages à travers le continent sud-américain. A cette époque, c'était encore souvent de véritables explorations dans des pays immenses et peu peuplés.

Les « faiseurs » de *Life,* prévenus de mon arrivée en Argentine, me demandèrent par câble de photographier les sous-marins japonais qui, d'après leurs renseignements, se dissimulaient dans les canaux fuégiens. A l'extrême pointe sud du continent américain, la Terre de Feu est située à plus de deux mille kilomètres de Buenos Aires. C'est une île, traversée de centaines de canaux. L'un d'eux la sépare de la Patagonie : le canal du Beagle, que découvrit Darwin et qui relie l'Atlantique à l'océan Pacifique. Darwin avait décrit la Terre de Feu comme un pays désertique, balayé sans trêve par des vents furieux et glacés, où vivaient des Indiens sauvages.

Je franchis les Andes en chemin de fer et m'embarquai à Valparaiso, au Chili. Le bateau me déposa à Punta Arenas, la ville la plus australe du monde, en bordure du détroit de Magellan. Je mis deux semaines pour y parvenir, et il me fallut encore deux semaines pour réussir à m'embarquer sur un autre bateau, le seul qui, deux fois par an, traversait le Beagle et contournait le cap Horn, pour apporter du ravitaillement aux gardiens des phares disséminés dans les parages. Le bateau appartenait à la marine chilienne, qui me fit signer une décharge au terme de laquelle j'entreprenais ce voyage à mes risques et périls. Les carcasses des bateaux que j'avais aperçues dans le détroit de Magellan m'avaient déjà convaincue des dangers de naviguer dans de telles eaux.

Mon bateau s'appelait le *Micalvi* et jaugeait environ trois cents tonneaux. Sa largeur, de babord à tribord, ne dépassait pas huit mètres. Avec moi se trouvaient deux chercheurs d'or et un prêtre qui voulait christianiser les Indiens Yaganes sur l'île Navarino. Le bateau transportait aussi trente moutons encore bien vivants. A raison d'un mouton par jour, ils allaient pourvoir à notre nourriture pendant toute la durée du voyage.

Dès le départ, le bateau se met à tanguer et à rouler. Le temps est exécrable et il fait froid. A Punta Arenas j'avais acheté des bottes et une fourrure de mouton, mais le froid est si pénétrant que rien ne peut lui résister. Sur chaque rive du Beagle apparaît une forêt inextricable qui longe les pentes des montagnes, aux cimes couvertes de neiges éternelles. Les glaciers s'ouvrent comme des éventails géants. Le ciel est bas et gris. Une immense solitude plane au-dessus de ce paysage sombre, infiniment triste, que pas un cri d'oiseau ne traverse. Le bateau avance avec une extrême lenteur. Jour et nuit, un marin doit sonder la profondeur de l'eau pour prévenir les innombrables récifs. Quelques jours de voyage me convainquent qu'il est impossible à un sous-marin de se cacher dans ces eaux traîtresses et que les gens de *Life* ont une imagination plutôt fertile.

A défaut de sous-marin japonais, je fis un reportage sur les derniers survivants indiens de la Terre de Feu et sur la vie d'un *estanciero,* le paysan le plus austral du monde, qui habitait l'île Picton et élevait quelques milliers de moutons sur cette terre inhospitalière. *Life* ne publia pas mes photos, mais celles-ci furent retenues par d'autres magazines.

Du cap Horn, je me rendis dans le nord de l'Argentine pour photographier des mines d'étain, situées à cinq mille mètres d'altitude dans les Andes. Je savais qu'une compagnie anglaise exploitait ces mines, et j'avais lu un prospectus où l'on louait le confort des installations que la compagnie avait créées pour ses ouvriers. Une fois sur place, les choses se présentèrent très différemment. Les ouvriers – des Indiens, venus surtout de Bolivie – n'avaient à leur disposition que des cabanes misérables. Ils mâchaient sans arrêt de la noix de cola pour oublier leur faim. Les salaires étaient si bas que la compagnie trouvait son intérêt à employer un grand nombre de travailleurs manuels plutôt que d'acheter de coûteuses machines. Quand mes questions commencèrent à les gêner, les ingénieurs m'obligèrent à redescendre dans la vallée. Les Indiens voyaient aussi d'un bon œil mon départ. Superstitieux, ils croyaient qu'une femme dans une mine porte malheur.

En 1944, Jouvet, qui se trouvait en Amérique du Sud avec sa troupe, laquelle avait joué dans plusieurs pays, décida de rentrer en France. Certains de ses acteurs ne voulaient pas travailler dans une France occupée et préférèrent rester sur place. Ils décidèrent de fonder une compagnie cinématographique et de tourner un film au Chili où ils avaient trouvé un commanditaire. Je fus engagée comme assistante du metteur en scène et comme photographe de plateau. Je n'avais aucune expérience en la matière, mais je me rendis vite compte qu'une assistante était une sorte de bonne à tout faire; j'étais responsable de la mise en place générale sur le plateau, je devais surveiller techniciens et acteurs. L'un de ceux-ci, joli garçon, devait interpréter le rôle d'un bossu, et l'on avait confectionné à son intention un petit coussin qui lui tenait lieu de bosse. Bien entendu, il l'oubliait toujours, mais pour plus de sûreté j'en avais un de rechange. Pendant le tournage des scènes d'amour, j'avais pour tâche d'éloigner du plateau, sous n'importe quel prétexte, le mari jaloux d'une des actrices. Un autre jour, le metteur en scène me chargea pour les besoins d'une fête champêtre de faire venir au studio une centaine de moutons. Les abattoirs me louèrent les bêtes pour deux jours et pour une somme modeste. Mais ils étaient situés à une dizaine de kilomètres du studio. Le trajet me demanda une journée entière, car les moutons, on le sait, sont d'une lenteur désespérante. Après en avoir perdu un certain nombre dans la nature, je fis irruption avec mes moutons sur le plateau. Le producteur oublia de me féliciter : au cinéma, chaque minute coûte cher.

En 1945, je revins à Paris en même temps qu'une exposition de peintres sud-américains et trois tonnes de vivres et de vêtements destinées aux écrivains français. Ce fut l'aide des écrivains argentins qui me permit de réaliser cet acte de solidarité. Je ne restai pas longtemps à Paris. Quelques semaines après mon arrivée, le ministère de l'Information me chargea de mission. Je devais donner des conférences sur la littérature française en Amérique du Sud, accompagnées de projections de mes portraits d'écrivains.

Au printemps de 1947, avec quelques camarades, Robert Capa fonda l'agence Magnum selon le principe d'une coopérative. Un photographe indépendant est presque toujours obligé d'avoir recours à une agence, mais il ne dispose d'aucun moyen de contrôle sur la vente de ses photos. C'était la raison pour laquelle Capa eut l'idée d'une agence gérée par les photographes eux-mêmes. Idée séduisante assurément, et, dès la fin de 1947, je signai un contrat avec Magnum. Durant les premières années d'existence de l'agence, je fus la seule femme photographe qui en fit partie. Capa avait choisi le nom de Magnum par allusion au champagne qu'il aimait boire.

Je suis restée membre de l'agence pendant les sept premières années. Si je révèle ici, pour la première fois, la raison de mon départ, c'est parce que Magnum, dont le nom est devenu prestigieux dans le photojournalisme, fait publier depuis un certain temps de longs articles sur son existence, dans lesquels les noms de ses membres sont cités, même ceux qui ont quitté l'agence depuis longtemps, mais le mien toujours omis. Comme j'ai fait mention plusieurs fois de ma collaboration avec Magnum dans des interviews qui furent publiées, on s'étonne de ce silence. George Rodgers, l'un des fondateurs de Magnum, m'a encouragé à publier les faits.

Les responsables de cet oubli sont Robert Capa et Chim. J'ai connu Capa à Paris en 1933. Il était d'origine hongroise. Il avait alors vingt-deux ans et arrivait de Berlin où il avait fait partie de l'agence Dephot, de laquelle sont sortis quelques-uns des reporters photographes les plus célèbres de notre temps[1]. Il avait fui le nazisme, se trouvait sans argent. Je connaissais un laboratoire qui cherchait un jeune photographe, et Capa fut engagé sur ma recommandation. A cette époque il s'appelait encore Andrei Friedmann.

J'ai connu Chim en 1935. Nous faisions tous deux des photos au Congrès pour la liberté de la culture qui se tint à la Mutualité, à Paris. Les écrivains les plus prestigieux s'étaient rassemblés pour mettre le monde en garde devant la montée du fascisme et les dangers d'une nouvelle guerre. Le congrès avait été organisé par André Malraux. D'origine polonaise, Chim, quand il acquit la nationalité américaine, prit le pseudonyme de David Seymour. Lui et Capa étaient donc mes amis de longue date.

A ses débuts, Magnum éprouva des difficultés d'ordre matériel à se maintenir. Les deux bureaux de New York et de Paris coûtaient cher. Capa, son président, déployait de grands efforts pour obtenir des commandes. Il avait un sens inné du photojournalisme, beaucoup de charme, et il était très populaire dans les rédactions. L'époque était propice à l'entreprise. Pendant les années de guerre, les magazines avaient surtout publié des photographies de champs de bataille. La paix revenue, on voulait voir autre chose. Les années quarante et cinquante furent l'âge d'or du photojournalisme.

En 1950, *Life* publia un reportage que j'avais fait sur Evita Peron. Annoncées sur la couverture, mes images occupaient un grand nombre de pages. C'était un « scoop » pour *Life* et aussi pour Magnum, car les photos furent ensuite publiées dans le monde entier. En ce qui me concerne, elles inauguraient les années les plus difficiles de ma carrière. La publication de ce reportage fut la cause d'un incident diplomatique entre Washington et Buenos Aires. Pendant deux mois la vente de *Life* fut interdite en Argentine. Evita s'était laissée photographier par moi dans sa vie privée, au milieu de ses richesses personnelles. Le ministre de l'Information, voyant les épreuves que j'avais remises à Evita, se rendit compte que leur publication pouvait nuire à la première dame d'Argentine. Quant à Evita, elle n'y avait vu que le reflet de sa beauté et de son charme. Un soir, le ministre me téléphona; il me sommait de me présenter le lendemain matin à son bureau avec tous mes négatifs et menaçait de me faire jeter en prison si je n'obtempérais pas. Le lendemain, j'eus la chance de pouvoir prendre le premier avion en partance pour l'Uruguay; j'emportai mes films mais laissai derrière moi toutes mes affaires personnelles. J'appris plus tard qu'une heure après

1. Cf. *Photographie et Société,* Le Seuil, 1974.

mon départ on avait donné l'ordre à toutes les compagnies aériennes de me refuser un billet.

De l'Uruguay je me rendis au Mexique. Je devais y rester deux ans. J'y fréquentai surtout les artistes : Diego Rivera, Alfaro Siqueiros, José Clemente Orosco, d'autres encore, tous connus pour leurs idées révolutionnaires et dont les fresques ornent les bâtiments publics. Le gouvernement mexicain, qui ne partageait pas leurs convictions, n'avait pourtant pas hésité à leur permettre de les exprimer par le langage artistique. Par la suite, j'ai publié maints reportages sur eux dans *Weekly Illustrated* et *Picture Post* en Angleterre, et dans des magazines en France et ailleurs en Europe. Un certain nombre de photographies de Diego Rivera parut aussi dans *Look,* un journal auquel on ne pouvait pourtant pas attribuer des partis pris révolutionnaires, mais Diego était estimé aux États-Unis et tenu pour l'un des peintres les plus importants du continent américain.

En 1954, un grand magazine me demanda de faire un reportage intéressant aux États-Unis. J'allai donc au consulat demander un visa. On me le refusa (j'avais pourtant été deux fois à New York vers la fin des années quarante). Le FBI m'avait inscrite sur la liste des « indésirables ». L'Amérique était alors en plein maccarthysme. Au Mexique, j'avais fréquenté des artistes qui se proclamaient communistes. De plus, mon reportage sur Evita Peron, en provoquant un incident diplomatique, avait nui aux intérêts américains. Une simple dénonciation anonyme suffisait, en ces années de chasse aux sorcières, pour que le visa d'entrée vous soit refusé. J'étais parmi les centaines de milliers de personnes pour qui les portes de l'Amérique, « le pays de la liberté », s'étaient fermées.

Je mis Capa et Chim au courant. Ils furent stupéfaits. Tous deux étaient des Américains de fraîche date. Capa venait d'être inquiété par un de ces comités créés pour juger les affaires « anti-américaines », pour la raison qu'il avait photographié la guerre civile en Espagne, du côté républicain, dix-huit ans plus tôt! Chim tremblait à l'idée que le FBI pût découvrir qu'il avait collaboré, dans les années trente, à *Regards,* un illustré français d'obédience communiste. Ils me sommèrent de quitter Magnum sur le champ, persuadés que je devenais un danger pour l'agence, laquelle comptait surtout sur ses clients américains. Le lendemain de cette entrevue, Georges Ninaud, alors gérant de Magnum, fut dépêché chez moi : il me ramenait tous mes négatifs et tous mes tirages. On lui avait donné l'ordre de faire disparaître tout ce qui me concernait.

Je déchirai chaque papier de l'agence, mais gardai, comme souvenir, le contrat que j'avais signé en décembre 1947. Je l'ai toujours. En France, heureusement, il n'y avait pas de chasse aux sorcières.

Je n'ai jamais revu Capa. Quelques semaines après cet incident, en 1954, il sauta sur une mine en Indochine. Chim, lui, est mort pendant la guerre israélo-arabe, à Suez, en 1956; il fut abattu entre les lignes des belligérants par la rafale d'une mitrailleuse égyptienne. Tant d'autres photographes ont payé de leur vie le goût des foules pour le sensationnel. Le photojournalisme est un métier dangereux qui demande beaucoup de courage.

Longtemps je refusai de faire les démarches nécessaires pour retrouver mon visa, car je ressentais trop l'injustice de la situation. Ce n'est qu'en 1970 que j'en ai fait de nouveau la demande, sur les instances de mon éditeur américain. Cette fois on me l'accorda, à croire que le FBI avait cessé de voir en moi une personne dangereuse pour la sécurité de l'Amérique. Cette petite histoire expliquera à ceux qui s'en sont étonnés pourquoi j'avais refusé pendant dix-huit ans d'exposer mes photos aux États-Unis.

Chez Magnum, on discutait beaucoup, mais on se savait appartenir à une même grande famille. Ce qui nous réunissait et nous liait, c'était notre désir commun d'interpréter le monde à l'aide de nos images, tel que nous le ressentions et le concevions.

Au cours des vingt dernières années, j'ai continué à voyager et à prendre des photographies un peu partout dans le monde. J'ai fait des reportages en Europe, au Canada, en Amérique, au Japon, en Afrique, et suis récemment retournée au Mexique. Je ne prétendais pas faire œuvre d'art ni inventer des formes nouvelles, mais rendre visible ce qui me tenait le plus à cœur : l'être humain, ses joies et ses peines, ses espoirs et ses angoisses. Mes reportages me mettaient en contact avec toutes les classes sociales, tous les milieux. J'ai longtemps cru que de faire connaître pays et civilisations les uns aux autres contribuerait à la disparition des préjugés et des images stéréotypées, à une plus grande compréhension entre les peuples. Les hommes s'entre-tueraient peut-être moins s'ils se connaissaient mieux. Mais, au cours des années, j'ai découvert que l'image pouvait aussi servir à entretenir la haine: la manière dont certains magazines présentaient mes photos dépendait de l'option politique de ceux qui les dirigeaient.

J'ai rarement travaillé dans l'actualité immédiate, préférant abandonner celle-ci à mes confrères masculins. En général, les hommes d'État n'ont guère plus de deux minutes à accorder aux photographes. Mais il est arrivé que certains d'entre eux, m'ayant aperçue dans la meute des reporters, eurent la courtoisie de m'inviter à les photographier de façon satisfaisante. En revanche, je n'avais à attendre aucune galanterie de la part de mes confrères masculins qui m'auraient piétinée plutôt que de me concéder un pouce de leur terrain. Je leur ai toujours pardonné, car il leur fallait, la plupart du temps, ramener des photos coûte que coûte pour gagner leur vie.

Les sujets les plus simples peuvent constituer d'excellents reportages. Je me souviens d'une série de photos sur la vie d'une ménagère parisienne et les problèmes quotidiens qu'elle devait affronter. Ce sujet peut paraître banal, mais le public américain était désireux de savoir comment une petite Française se débrouillait pour équilibrer son budget, faire son marché, élever ses enfants, sortir avec son mari et mener une vie acceptable. Car, en définitive, ce qui intéresse le grand public, ce sont les situations où il est en mesure de se retrouver.

Personne n'est insensible aux enfants. Ils touchent nos sentiments les plus profonds. Parmi les nombreux reportages que je leur ai consacrés, je me souviens d'une école maternelle à Paris où on leur apprenait à langer les bébés à l'aide d'une poupée presque aussi grande qu'eux, à se servir d'une cuisinière de dimensions si réduites que les élèves de moins de cinq ans pouvaient l'utiliser. Presque tous ces enfants étaient issus de familles ouvrières; leurs pères et leurs mères travaillaient. Le but des éducateurs était de leur apprendre tout en jouant — et ce jeu semblait à la fois les amuser beaucoup et les passionner — à se rendre utiles chez eux. Mon reportage fut reproduit dans plusieurs pays. Les Russes me le refusèrent. Ils auraient préféré des images de clochards.

Dans un tel métier, il y a des avantages et des inconvénients à être une femme. Il m'est arrivé de pouvoir prendre des photos là où mes confrères masculins avaient échoué; ainsi en fut-il, par exemple, avec Evita Peron ou des femmes de lettres d'un certain âge qui craignaient l'incompréhension masculine. En fait, peu de femmes exercent la profession de reporter photographe, qui réclame une santé à toute épreuve, de la patience, de la curiosité, une grande ouverture d'esprit, de l'habileté et du courage devant les situations les plus inattendues, toutes qualités qu'elles possèdent. Mais le reportage exige aussi que l'on soit très souvent disponible, ce qui est difficile à concilier avec les obligations d'une vie familiale. Mon mariage ne m'a jamais empêché de partir au loin, mais en aurait-il été de même si j'avais eu des enfants?

La plupart des femmes photographes travaillent en studio et se spécialisent dans le portrait. Pour ma part, j'ai toujours évité de réaliser les portraits en studio, préférant me rendre chez celui ou celle que je voulais photographier et transformant les prises de vues en un véritable reportage. Chaque homme vit dans une atmosphère qu'il a créée, qui lui est propre, entouré de meubles, de tableaux, d'objets et de bibelots qu'il a choisis et qui reflètent son univers intérieur. Et puis, les « sujets » des portraits sont plus détendus chez eux qu'ailleurs, ce qui facilite la tâche du photographe.

Le visage humain, les gestes familiers de chacun m'ont toujours fascinée. Le bon portrait est celui où l'on retrouve la personnalité du sujet et non celle du photographe. Ce qui compte, à mon sens, c'est qu'on dise, devant une photographie : « C'est André Malraux ou Virginia Woolf » et non : « C'est une photo de Gisèle Freund ». Si j'ai su capter parfois la personnalité d'un écrivain ou d'un artiste, c'est parce que n'existait entre eux et moi d'autre relation que l'amitié ou l'estime. Il n'y eut jamais de « commande », jamais il ne fut question d'argent. J'étais ainsi libre de réaliser des portraits comme je l'entendais, alors que des commandes officielles m'auraient forcément obligée à des concessions.

Le métier de reporter photographe n'enrichit pas. Il permet de vivre bien, mais sans pouvoir mettre de l'argent de côté. Les frais sont trop élevés. Robert Capa avait l'habitude de nous dire : « Si vous tenez à vous enrichir, abandonnez la profession ! » C'était pourtant l'époque où le photojournalisme vivait son âge d'or. Partout dans le monde proliféraient les magazines illustrés qui consacraient des pages à toutes les sortes de reportages et accueillaient le moindre talent. Victimes de la crise économique et vaincus par la télévision, la plupart de ces magazines ont aujourd'hui disparu. Il est de plus en plus difficile à un photographe de faire publier des reportages. Pourtant le métier n'est pas mort. Il continuera même d'exister aussi longtemps qu'il y aura une presse illustrée.

Francfort

Francfort-sur-le-Main était une ville charmante, surtout son vieux quartier qui remontait au Moyen Age et dont les ruelles enchevêtrées étaient bordées de maisons basses, parfois ornées d'enseignes de fer forgé, annonçant la boutique d'un artisan. L'immense cathédrale les surplombait. Quand j'étais étudiante, j'aimais me promener dans ces rues pleines de vie. Des prostituées se tenaient au coin des rues, à l'affût des passants. Quand je suis revenue à Francfort, bien des années après la guerre, je n'ai pas reconnu la ville. Elle avait été rasée par les bombes. Seule la cathédrale était encore debout. Aujourd'hui, entièrement reconstruite, Francfort ressemble à l'une des nombreuses villes impersonnelles de notre temps.

Dès l'été 1932, les étudiants nazis ne cachaient plus leur appartenance au parti de Hitler. J'ai pu photographier un de ces premiers groupes, saluant à la fasciste, le bras levé.

La vieille ville, 1932.
L'Université, 1933.

Paris

Quand j'arrivai à Paris
dans les années trente,
on pouvait encore flâner dans
les rues sans être importuné
par les véhicules bruyants qui
les encombrent aujourd'hui.
Le caractère parisien tend à
s'exprimer par l'agencement
des vitrines et des devantures
de boutiques qui ont toujours
fait ma joie de photographe.

Vitrine d'un salon de coiffure,
1938.

p. 34-35 : l'île Saint-Louis,
dans les années trente.

PETITE BOUTIQUE
PETITS FRAIS
PETITS PRIX
69
Pantouflor
SOLDES
SOLDES

Un jour, en 1935, en remontant
le boulevard de Sébastopol,
mon regard fut attiré par le nom
d'un chemisier. Il s'appelait
Hittler. Même s'il s'écrivait
avec deux t, il était curieux
de rencontrer dans cette ville
un nom qui était alors sur les
lèvres de millions de gens
qui l'adoraient ou le haïssaient.
A cette époque, la mode était
aux cravates rayées.
Ma photographie fut publiée
par une revue française.
On l'avait utilisée pour exécuter
un montage. On voyait, devant
la vitrine, les visages de deux
politiciens connus pour
leurs idées rétrogrades.
La légende disait :
« Quelle chemise
vont-ils choisir ? »

Angleterre

Une rue à Jarrow-on-Tyne.
Chômeur depuis huit ans.

p. 40-41 : les grands chantiers navals de la Tyne sont déserts.
Partout, des pierres,
de la ferraille,
le spectacle de la désolation.

Un dimanche comme les autres
à Newcastle-on-Tyne.
Et pourtant le billet
d'aller-et-retour pour la plage
la plus proche ne coûtait
qu'un shilling.

Le nord de l'Angleterre fut, au siècle dernier, le berceau du capitalisme.
L'industrie anglaise s'appuyait sur les mines de charbon des districts de Bishop Auckland et de Cumberland. Ce fut dans les immenses chantiers navals de Newcastle et de Jarrow que les Anglais construisirent leur grande flotte de guerre. Des milliers d'hommes y trouvaient du travail.
Mais ces entreprises, fondées au XIXe siècle, ne purent supporter ni le contrecoup de la crise économique de 1929 ni la concurrence des usines plus récentes.
Leurs propriétaires estimèrent plus avantageux pour eux de les abandonner que de les moderniser. L'industrie quitta les lieux, laissant à la misère des centaines de milliers de travailleurs et leurs familles.
Distressed areas,
les pays en détresse, ainsi furent appelées les régions du nord.
En 1935, il y avait près de deux millions de chômeurs en Angleterre.

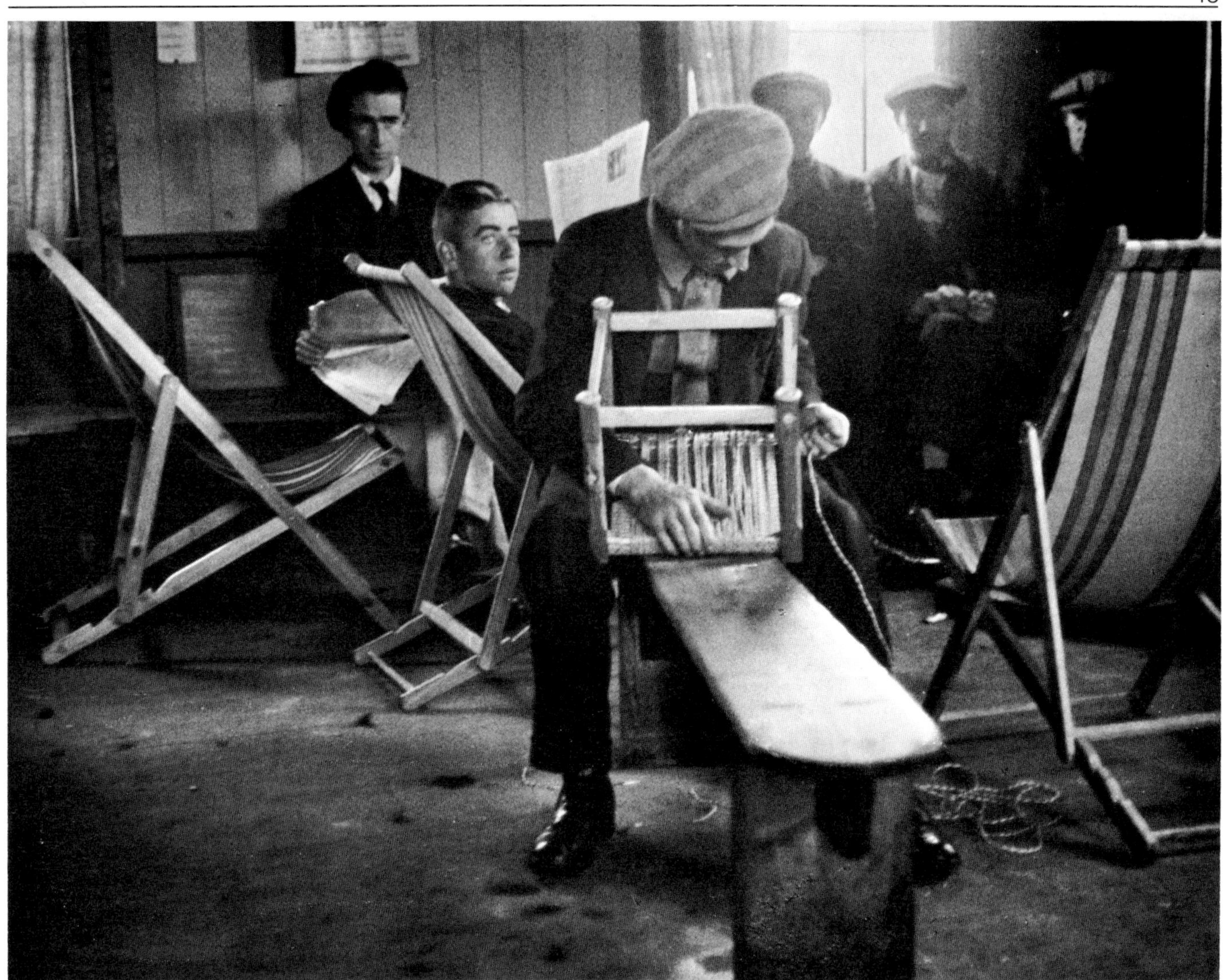

Faute de pouvoir entrer au *pub,* on est rempailleur dans les clubs d'ouvriers chômeurs, on bricole, on oublie pour quelques instants sa misère.

PARK ROAD
HOTEL
STOLL

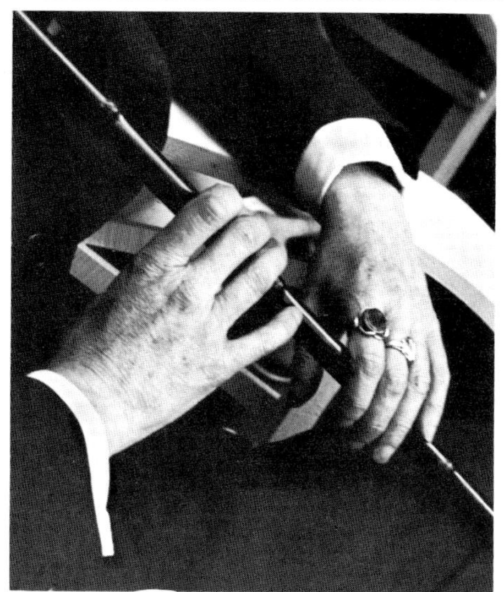

James Joyce

James Joyce était une des idoles littéraires de ma génération. Nous nous rencontrâmes en 1936 à un dîner chez Adrienne Monnier. J'observais les ombres et les lumières qui modelaient le visage osseux de l'écrivain, et je pensais au portrait que j'aurais aimé faire de lui.
J'essayai ensuite plusieurs fois de le persuader de poser pour moi, mais Joyce se trouvait toujours un empêchement : ou le travail l'accablait ou ses yeux le faisaient souffrir. Enfin, au printemps 1938, à l'époque où *Finnegans Wake* devait être publié, Joyce accepta. Il avait des idées très précises sur la manière dont il devait apparaître sur les photos que la presse mondiale utiliserait lors du lancement de son livre. Je devais d'abord le photographier en compagnie de ses éditrices, Adrienne Monnier et Sylvia Beach, rue de l'Odéon, avec ses amis, puis chez lui, entouré de sa famille. Ce reportage demanda plusieurs séances, qui eurent lieu au mois de mai 1938.
C'est à son arrivée en taxi, rue de l'Odéon, pour l'une de ces séances, que je réussis à prendre des instantanés qui n'avaient pas été prévus.
La publication de *Finnegans Wake* fut retardée, et, au début de 1939, *Time Magazine* voulut consacrer à Joyce l'une de ses couvertures en couleurs. On me demanda des clichés. Sur le conseil de Sylvia Beach – elle savait combien il se sentait intimement lié à ses personnages romanesques et combien aussi il était superstitieux – j'écrivis à Joyce sous mon nom de femme mariée, lequel était celui d'un de ses héros. Joyce accepta. L'écrivain était habillé d'une veste d'intérieur en velours rouge; plusieurs bagues couvraient ses longs doigts sensibles. Il jetait des regards inquiets sur mes appareils. Tandis qu'il cherchait à tâtons son chemin vers le fauteuil que je lui avais installé, il heurta une lampe de la tête. Il poussa un cri aigu, se prit le front entre les mains. « Je saigne ! Vos sacrées photos seront ma mort ! », s'écria-t-il.
Je demandai à sa femme Nora une paire de ciseaux et en pressai l'acier froid contre l'égratignure à peine visible, un remède dont le souvenir remontait à mon enfance. Calmé, Joyce s'assit et, comme il le faisait souvent, se mit à étudier à la loupe une page d'un livre. Je me dépêchai de prendre mes photos et, après l'avoir assuré que je ne l'importunerais plus jamais, m'éclipsai. Quelques minutes plus tard, le taxi qui m'emmenait au laboratoire eut un accident grave. Je rentrai chez moi le visage en sang et mes appareils hors d'usage. Aussitôt, je téléphonai à Joyce : « J'ai failli me tuer et vos photos sont détruites. Vous m'avez jeté un sort irlandais ! Vous voilà content ! » A l'autre bout du fil, j'entendis Joyce soupirer et devinai que je ne m'étais pas trompée. Il m'invita à revenir le lendemain. Cette fois, les choses se passèrent à merveille. Et, au laboratoire, j'eus la joie de découvrir que le film du jour précédent n'avait pas souffert. J'avais donc deux séries de photos en couleurs de Joyce ! Lorsque *Time Magazine* fit paraître son portrait en couverture, Joyce ne cacha pas sa satisfaction. Mieux, toute l'histoire l'avait fort diverti, et il avait conclu, devant ses amis, que je m'étais montrée plus forte que les Irlandais...

TRICOTS
RENAULT

RENAULT

Adrienne Monnier était propriétaire de *la Maison des amis des livres,* au n° 7 de la rue de l'Odéon, presque en face de la librairie américaine *Shakespeare & Co* où, au n° 12, Sylvia Beach s'était établie depuis 1921. Les deux librairies sont à la fois bibliothèques de prêt, librairies de vente, maisons d'édition, et le rendez-vous de tout ce qui compte dans les lettres de l'entre-deux-guerres. Fille de pasteur, Sylvia publie, en 1922, *Ulysse* de Joyce, mis à l'index par la censure américaine et considéré par elle comme pornographique. Adrienne Monnier en éditera la traduction française en 1929. Ainsi, deux femmes ont « mis au monde » cette œuvre majeure de la littérature du XXe siècle.

AILLEUR
fourrures

James Joyce, Sylvia Beach et Adrienne Monnier dans la librairie *Shakespeare & Co.*

Livre, firmament intérieur, pays de mémoire, où les mères nous bercent et nous sourient toujours. Petits livres à la mesure des mains humaines, souvent serrés sur le cœur... Celui qui vous aime et qui vit en votre présence connaît la sérénité; il a déjà commerce avec les immortels.

Adrienne Monnier
Les Gazettes

Il est là, ce moi, augure
à baguette de frêne...
Je repousse cette ombre
circonscrite, inéluctable forme
humaine.

James Joyce
Ulysse

Evita Peron

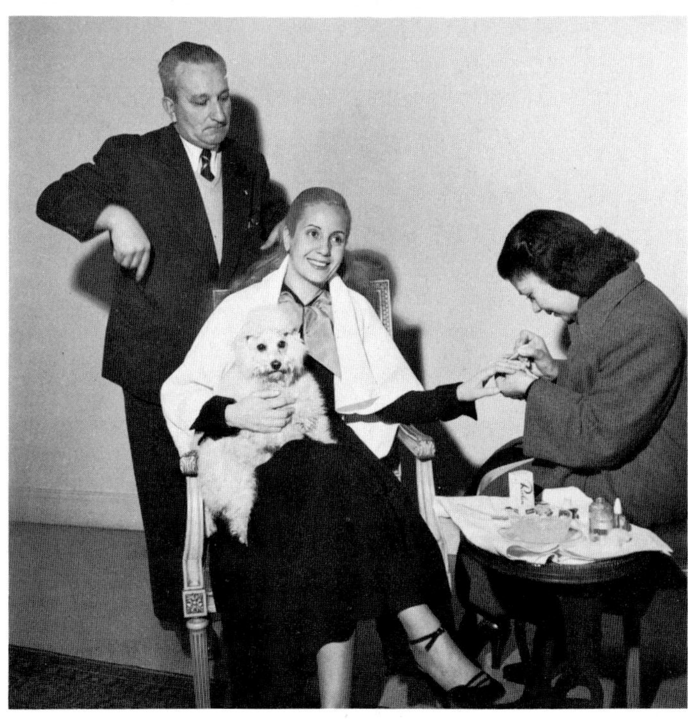

« Que le monde voit ce que je possède ! », s'exclama Evita Peron lorsque je lui montrai les photographies que j'avais faites d'elle, avec ses robes, ses chapeaux et son coffret de bijoux, digne de Cléopâtre. Jamais encore une femme n'avait détenu un pouvoir politique aussi étendu que le sien. Elle pouvait congédier des ministres, jeter des gens en prison, augmenter les salaires des ouvriers. Ce dernier privilège lui avait conféré un immense prestige aux yeux du peuple argentin.
Elle n'avait que trente-deux ans lorsque je fis un reportage sur elle, en 1950, pour *Life.*

Jusqu'alors, aucun reporter n'avait réussi à la photographier dans sa vie privée. Ma qualité de femme joua sans doute en ma faveur, car elle semblait heureuse de montrer à une autre femme ses trésors vestimentaires et ses bijoux.

Tous les vendredis, Evita recevait les gens les plus pauvres dans son ministère de l'*Ajuda social* (Aide sociale). Des mères de famille nombreuse, chargées d'enfants, des habitants des bas-quartiers occupaient d'étroites banquettes de bois. Des bébés criaient et des gardiens leur apportaient des biberons. Le long des murs se tenaient les délégations ouvrières. La vaste salle était enfumée. Face à cette assemblée hétéroclite, assise derrière une immense table de travail, entourée d'une demi-douzaine de secrétaires, une jeune femme, Evita. Son visage était d'une pâleur extraordinaire. Elle portait un tailleur noir, d'une coupe parfaite, orné d'une broche de brillants et de saphirs bleus. Des bagues garnies de pierres précieuses et de diamants couvraient ses doigts. « La Señora fait la charité et produit des miracles chaque vendredi après-midi, vous pouvez le constater », me dit

l'un des huissiers. « Ces pauvres gens appartiennent-ils au mouvement péroniste? », lui demandai-je. « Évidemment, sinon la Señora ne les aiderait pas. » Evita était une « fée », sans aucun doute, mais une fée politique qui n'aidait que ceux qui adhéraient à la politique de son mari.

Un soir, je fus conviée à la résidence des Peron pour photographier Evita dans sa robe de gala; le couple devait se rendre à la fête de l'Indépendance, au théâtre Colon. Evita portait une robe de tulle bleu ciel parsemée de perles blanches (les couleurs nationales de l'Argentine), et recouverte d'une cape en plumes d'autruche. « Cette robe a été spécialement dessinée pour moi par Christian Dior », me dit-elle. Le général attendait patiemment que la couturière achève d'ajuster les plis de cette robe somptueuse. Evita donna l'ordre à la femme de chambre d'apporter ses décorations. « Voyez Madame, j'ai aussi la Légion d'honneur », me dit-elle, tandis qu'on lui épinglait la brochette. Le général la regardait, l'œil critique. Sur ses lèvres flottait un sourire malicieux et paternel. « Tes ennemis vont encore dire que tu as l'air d'une *bataclana* (danseuse de cabaret) ! » Trop absorbée par sa toilette, Evita ne l'entendait pas. Ils dirent adieu aux chiens, juchés sur une commode, et s'en allèrent. Le peuple adorait Evita. « Elle était comme nous, disait-on, et voyez ce qu'elle est devenue. Chacun de nous pourrait obtenir la même chose... » Pour les masses, elle incarnait un beau rêve, un pernicieux mirage. Le péronisme a échoué, mais le souvenir de la « bonne fée » Evita reste vivant dans le cœur du peuple argentin. Il n'est pas une masure où son portrait ne soit accroché au mur, comme celui d'une sainte.

L'armée argentine défile dans
les rues de Buenos Aires.

Voyance

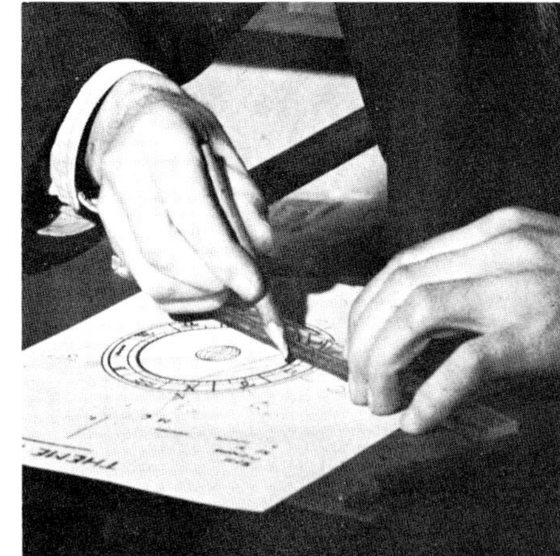

« Il n'y a que trois choses qui comptent pour l'homme : l'amour, l'argent et la mort », me disait Mme M., voyante des foires. A la préfecture, on m'avait indiqué que cinquante mille voyantes parisiennes étaient pourvues d'une patente, mais qu'il y en avait au moins autant qui exerçaient le métier illégalement; on m'avait dit aussi que c'était une profession essentiellement féminine : un homme pour vingt-neuf femmes.

Mme F. vivait dans un appartement cossu, près de l'Étoile. Elle approchait les soixante-dix ans, était rondelette, extrêmement vivante.

« Je dois d'être devenue voyante à Alice Cocéa, la grande actrice des années trente, me dit-elle. Un jour, en entrant dans sa loge, j'eus une prémonition qui la concernait. Je lui en fis part, et mes prédictions s'avérèrent. Je venais de découvrir ma vocation. Par la suite, je suis devenue la voyante des stars, mais aussi des hommes d'affaires, des agents de change, des éditeurs... Ma clientèle est très diverse. C'est moi qui ai aidé à démasquer Landru. Il était fiancé à l'une de mes amies que j'ai pu mettre en garde à temps.

Ce que je gagne? Mes clients me donnent spontanément la somme qui leur semble correspondre aux services que je leur rends. J'ai ma licence, et croyez bien que je paie mes impôts comme tout le monde. »

Les astrologues défendent la thèse qu'il y a corrélation entre les événements historiques et l'ordre céleste. Ils se fondent sur le mouvement des planètes pour établir leurs horoscopes. Depuis quelques années, ils se servent aussi d'ordinateurs, ce qui rend le travail moins ingrat et accélère les rentrées d'argent. L'astrologie et le monde moderne sont faits pour s'entendre.

La radiesthésie est une très ancienne pratique que les sourciers exercent depuis des siècles. Envoyez à un monsieur qui habite à plus de mille kilomètres de chez vous, et ne vous a jamais vu, une boucle de vos cheveux ou vos empreintes digitales. Il vous éclairera sur l'état de vos organes, sur les microbes et les parasites qui hantent votre corps, sur votre déficience minérale ou votre tension artérielle. Et cela uniquement parce qu'il a fait osciller un pendule sur votre boucle de cheveux ou sur vos empreintes digitales.

« Je n'y ai pas cru pendant longtemps », m'a avoué M. A., un radiesthésiste célèbre. « Mais quand j'ai appris à me servir du pendule, je l'ai pratiqué avec passion. Il éveille peut-être un sixième sens, un pouvoir que l'esprit de l'homme n'a pu encore expliquer. » Et M. A. fait osciller le pendule au-dessus d'une carte qui

représente symboliquement les différentes parties du corps humain. « J'ai inventé le scripto-pendule, reprend-il. La pointe, emplie d'encre, trace la partie du corps atteint. Cette méthode devrait décourager les gens peu scrupuleux qui racontent n'importe quoi. »

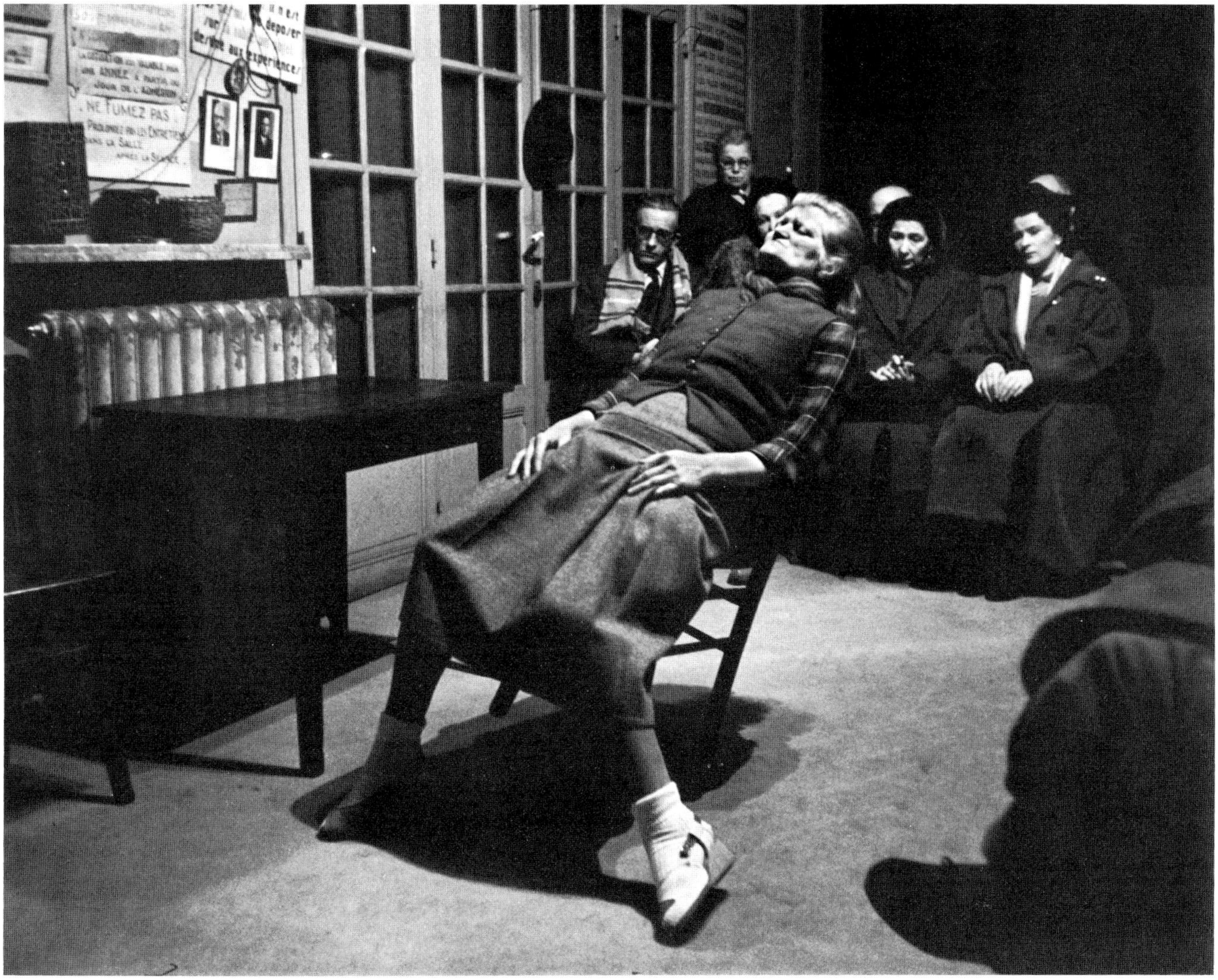

J'ai assisté à une séance de spiritisme au siège de l'association. Un médium en transe faisait tourner chaises et tables. On demandait ensuite à l'assistance de passer à une voyante les photographies des chers disparus. Elle caressait une photo des doigts, les yeux clos. Puis elle s'exclamait : « Ma main me fait mal... J'ai de grandes douleurs... Cette personne est morte d'une grave maladie, n'est-ce-pas? » Dans la plupart des cas, la réponse était affirmative. Alors la voyante transmettait le « message » du mort. « Il a dit que vous devriez faire plus attention à

votre santé. Il vous déconseille de vendre vos bijoux... »
Rue des Escouffes, une voyante exerce son métier à l'aide d'une boule de cristal. Elle tient la photographie d'un enfant mort. Par son intermédiaire, l'enfant parlera à sa mère.
La voyance, aujourd'hui, est une industrie florissante, qui s'exerce dans le monde entier et brasse des milliards. Elle profite de la crédulité des hommes, de leurs angoisses, et des difficultés de leur vie.

La tombe d'Allan Kardec, le père du spiritisme, se trouve au cimetière du Père-Lachaise. Elle est abondamment fleurie toute l'année durant. Les disciples d'Allan Kardec assurent que s'ils posent la main sur la nuque de la statue qui orne la tombe, et qu'ils formulent un vœu, celui-ci s'accomplit.

W.C.
MADAME DE SYLVIA
Madame DE SYLVIA
M. le Mage ZORA
Consultent de 10 à 19h
et sur Rendez vous
MADAME DE SYLVIA
3 PLACE BOULNOIS
pour tout consultez nous
PSYCHANALYSE MÉDIUMNIQUE
Mme De Sylvia et Mage Zora
MADAME DE SYLVIA
Pensées bien dirigées
Avenir assuré
Certainement vous voulez Réussir?
CONSULTEZ
Madame DE SYLVIA
&
M. le Mage ZORA
de 10 à 12 & de 14 à 19h
et sur Rendez vous
3 Place BOULNOIS
MAGE ZORA
DE SYLVIA

Portraits

Nous habitons notre visage sans le voir. Mais nous exposons cette partie de notre corps au premier venu qui nous croise dans la rue. Nous nous regardons dans la glace, mais elle reflète nos traits à l'envers. De plus, les pressions et les convenances de la société nous obligent de porter un masque pour cacher nos émotions, nos fatigues et nos désillusions. C'est pourquoi les visages ouverts des enfants nous émeuvent par leur innocence. Quand nous nous regardons, nous ne voyons pas seulement nos traits, mais aussi notre caractère; car le portrait que nous nous faisons de nous-mêmes est d'ordre psychologique plutôt que visuel. L'immense cortège des visages qui ont défilé devant moi et que je ne reverrai plus m'a révélé qu'il n'y a pas deux physionomies semblables. Le peintre a tout son temps pour fixer sur une toile les nuances d'une personnalité. Tel un chasseur, le photographe lui, ne dispose que d'un instant. Il lui faut guetter sa proie pour saisir d'un coup l'expression révélatrice. La photo prise, il s'efface. Devant un bon portrait peint, notre réaction immédiate est de demander le nom de l'auteur. Mais en photographie, c'est le modèle qui compte. Le rôle d'un bon portraitiste est d'être l'instrument sensible grâce auquel une personnalité se révèle.

Une longue route, celle de ma vie, une longue expérience, celle de mon cœur, mon instinctif penchant, qui se plaît à la courbe et au cercle, s'en contente superstitieusement... Tendre vers l'achevé, c'est revenir vers son point de départ, les vrais aventureux n'y reviennent pas.

Colette
Discours de réception, *Œuvres,* t. XIII

Les expériences de la vie
sont incommunicables et
c'est ce qui cause toute
la solitude.

Virginia Woolf *Les Vagues*

Nous sommes en représentation
et nous occupons souvent
bien plus de parader
que de vivre. Qui se sent
observé s'observe.

André Gide *Journal*

Pages suivantes : James Joyce
et Adrienne Monnier.

Marguerite Yourcenar habite une île, Desert Island, dans l'État du Maine, à l'extrême nord des États-Unis. « Notre vie est gouvernée par tant de hasards! », me dit-elle, une fois que nous nous sommes installées dans son bureau. « Un ami m'avait invitée à passer quelques semaines chez lui. A cette époque, l'île était solitaire, et, comme j'aime le climat doux du bord de mer, j'ai acheté cette maison, en 1940, et je l'habite encore. » Nous parlons de littérature et du travail de l'écrivain. « Je crois que l'écriture sert à deux choses, précise-t-elle. Pour l'écrivain lui-même, elle sert à fixer, à définir sa pensée. On est en présence d'une sorte de très riche chaos intérieur, qui se trouve au centre de chaque individu. On croit avoir des idées à peu près lucides sur certaines choses, certains points de vue, mais c'est seulement après les avoir mis par écrit que l'écrivain se rend compte que ses idées, ses vues restent vagues. L'écriture est un moyen de correction et de précision. L'écrivain en sort généralement plus averti qu'il n'y est entré. Et, avant tout, l'écriture est un moyen de communication. Beaucoup de gens font de l'écriture un cri, un cri personnel; les poètes surtout et certains romanciers croient de nos jours qu'il suffit de crier. Mais l'expérience nous apprend qu'on crie presque toujours dans le désert; les gens passent sans entendre. D'autres — les esprits dits pratiques — y verraient surtout une manière de transmettre des informations à autrui : l'avion part à telle heure, tel homme politique est mort tel jour. Mais c'est trop simple : combien de gens sont assez attentifs pour lire correctement une manchette de journal, un horaire, à plus forte raison un traité d'histoire ou de philosophie? La tâche de l'écrivain me paraît consister à aiguiser et à fixer cette attention; à faire pénétrer en autrui un coin de sa pensée, de son expérience ou de celle des autres. Là me semblent être la tâche et la gloire de l'écrivain. »

Ce visage de l'écriture étant
somme toute mon vrai visage.
L'autre une ombre qui s'efface.
Vite, que je construise mes
traits d'encre pour remplacer
ceux qui s'en vont.

Jean Cocteau
La Difficulté d'être

VRAI VISAGE
MARQUIS
SADE

Le philosophe allemand Walter Benjamin et le poète chilien Pablo Neruda sont nés sur deux continents, séparés par des milliers de kilomètres. Mais les idées n'ont pas de frontières. Tous les deux étaient parvenus aux mêmes conclusions : il faut changer le monde. Et tous les deux sont morts dans des circonstances tragiques qui se ressemblent étrangement. Le philosophe s'est suicidé quand les forces néfastes du fascisme, semant la mort et la destruction, se rapprochaient de lui. Le poète est mort d'une grave maladie, mais au moment où les mêmes forces néfastes, qu'il avait toujours combattues, transformaient son pays en une vaste prison. Tous les deux pouvaient se réjouir de choses innocentes. Le philosophe collectionnait des livres de contes pour enfants, et le poète, les expressions naïves de l'art populaire.

Pages suivantes : Simone de Beauvoir et Jean-Paul Sartre.

Hermann Hesse, l'année
de sa mort.

Stefan Zweig, en 1939.

JE VIS. Il fait chaud dans la chambre. Il y a la lumière. Je prends un livre. Quand j'ai trop peur, je me blottis dans l'instant. Nid précaire.

Eugène Ionesco
Journal en miettes

Quand vous me verrez, allez, ce n'est pas moi.

Henri Michaux *La Nuit remue*

Qui suis-je ? Si par exception je m'en rapportais à un adage : en effet pourquoi tout ne reviendrait-il pas à savoir qui je « hante » ?

André Breton *Nadja*

André Breton, chez lui, rue Fontaine, l'année de sa mort.

L'espoir des hommes,
c'est leur raison de vivre
et de mourir.

André Malraux
Les Conquérants

En attendant Godot.

Alexandre Soljénitsyne.

Ivan Illich.

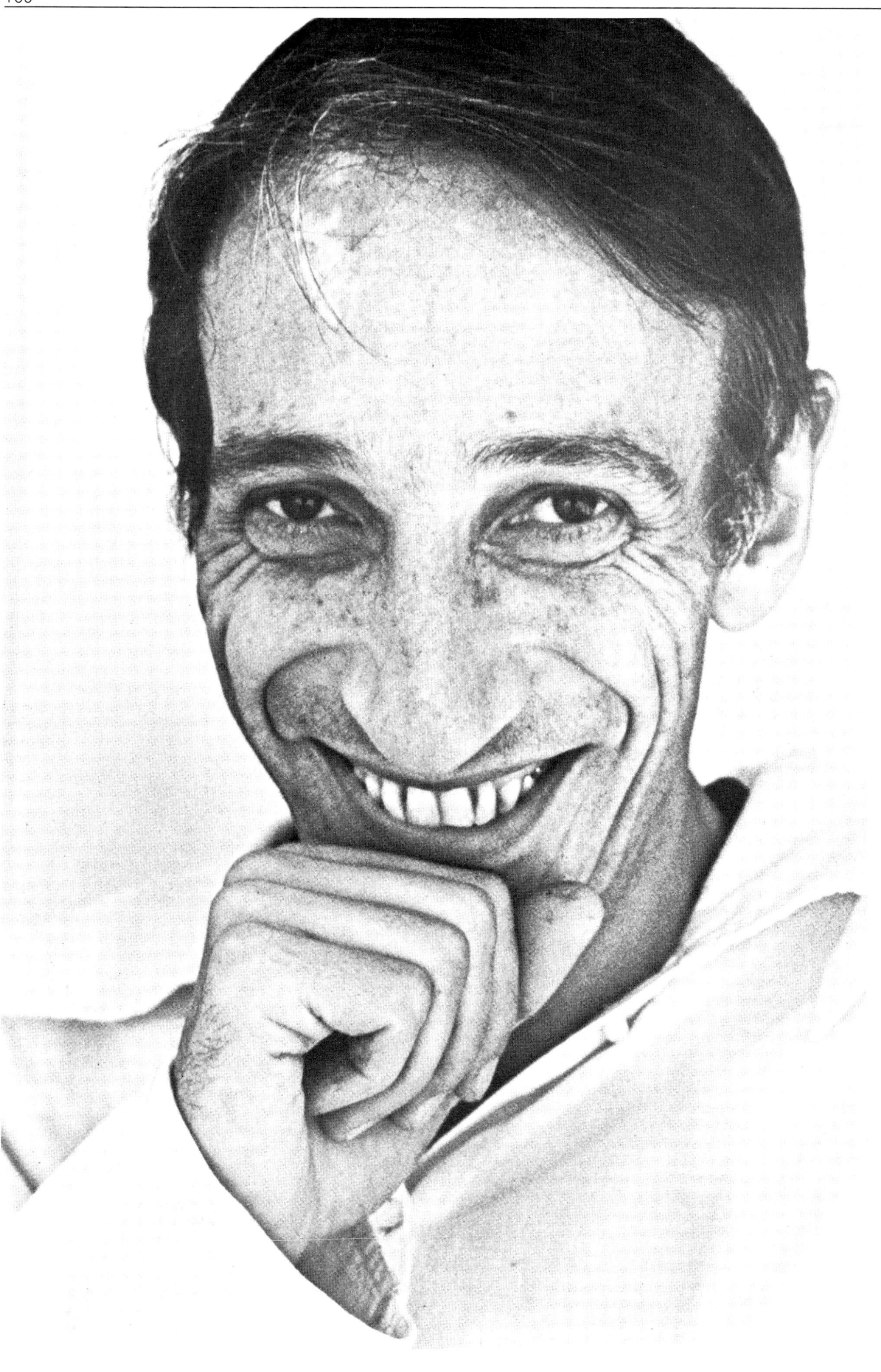

Notre dieu est lumière.

Pierre Bonnard

Propos de Bonnard, cités par Annette Vaillant, dans son livre *Bonnard*.

Nous sommes encombrés
des sentiments des artistes
qui nous ont précédés.
La photographie peut nous
débarrasser des imaginations
antérieures.

Henri Matisse
Propos de Henri Matisse à Tériade,
Minotaure, 1934, republié dans *Verve,*
vol. IV, n° 13, 1945.

Mexique

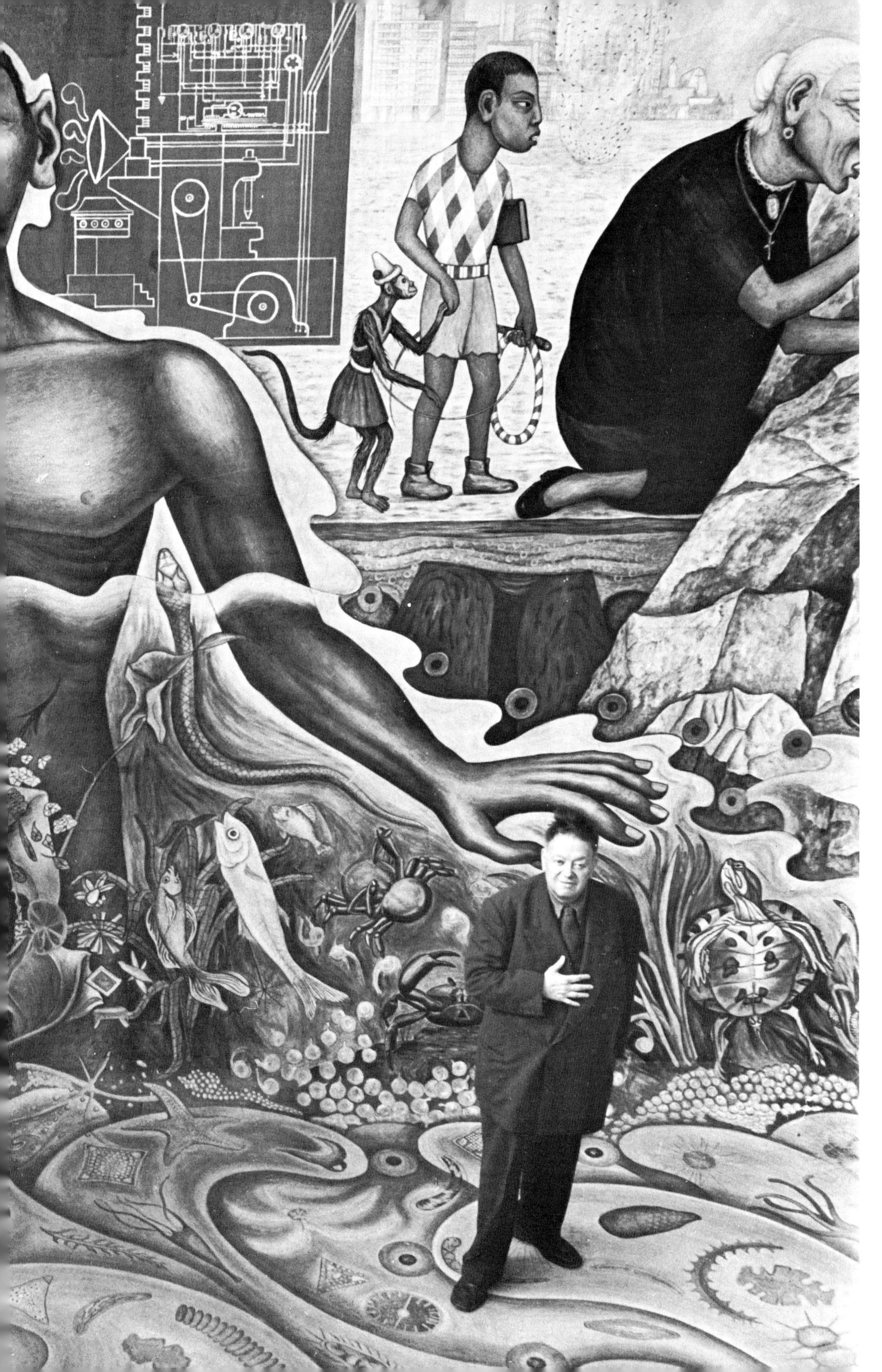

P. 116-117 : Diego Rivera devant sa fresque, *la Création du Monde.*

Une rue à Mexico-City.

128
D

Un marché en plein air.

Le visage du Mexique, tout en lumière et en ombres, est comme les forces de sa nature, éternellement changeant et contradictoire. Des volcans surplombent des vallées verdoyantes et paisibles. Ils dorment depuis des milliers d'années, mais d'autres naissent subitement au milieu d'un champ de maïs ou d'un pâturage. Terrifiant les hommes, ils grandissent à vue d'œil. Leur lave épaisse, huileuse, engloutit des villages entiers sous une coulée incandescente, dans le tonnerre des explosions. Le sol disparaît sous une couche de cendres blanches. Là où, hier encore, s'étendait un champ fertile, on voit aujourd'hui un désert pétrifié, tragique, plein de crevasses, où toute vie s'est éteinte.
En été, le ciel, d'une transparence de pierre précieuse, irradie la joie et la chaleur. Pourtant, le paysan se penche soucieux sur sa terre, redoutant la sécheresse et la famine. En hiver, ce ciel si pur se couvre brusquement de nuages aux formes fantastiques, et les pluies torrentielles menacent de détruire en quelques heures le labeur de longs mois.
L'homme mexicain fait face à une nature sans mesure, qui dresse partout devant lui des obstacles imprévisibles et redoutables. Le paysan la craint et, en même temps, espère tout d'elle, comme jadis ses ancêtres craignaient et espéraient tout de leurs dieux aux visages terribles et aux appétits sanglants qui régnaient sur la vallée d'Anahuac. Dans l'espace infini de cette nature contradictoire et tourmentée, l'histoire du Mexique est tragique et pleine de souffrance.

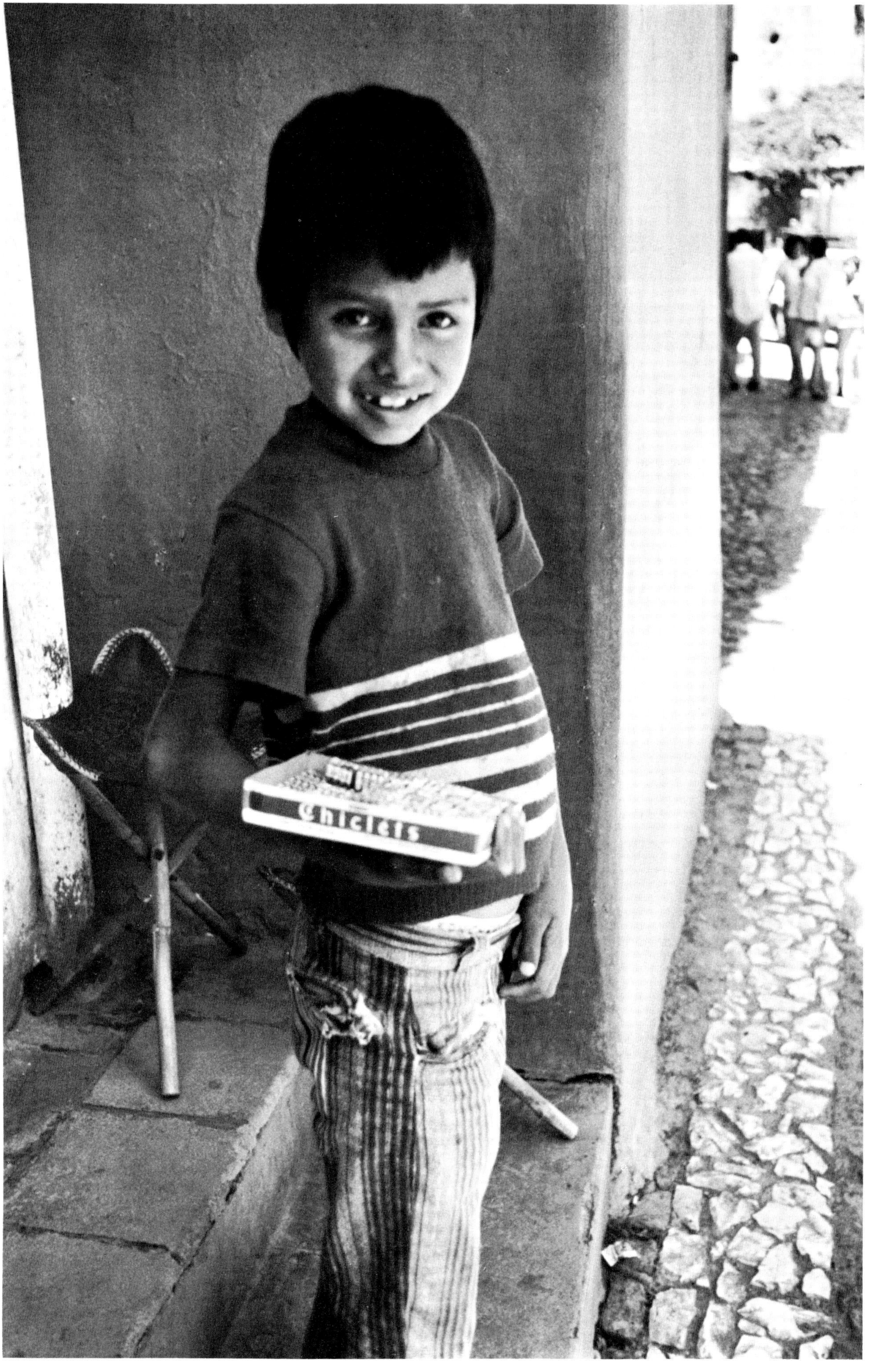
Chiclets

DESAYUNOS
LA FLOR
DE
MEXICO
LOS MEJORES PASTELES
BIZCOCHOS FINOS
ESTA CASA NO TIENE SUCURSALES
Exquisito PAN DE
MUERTO
CALAVERAS
AZUCAR ó CHOCOLATE

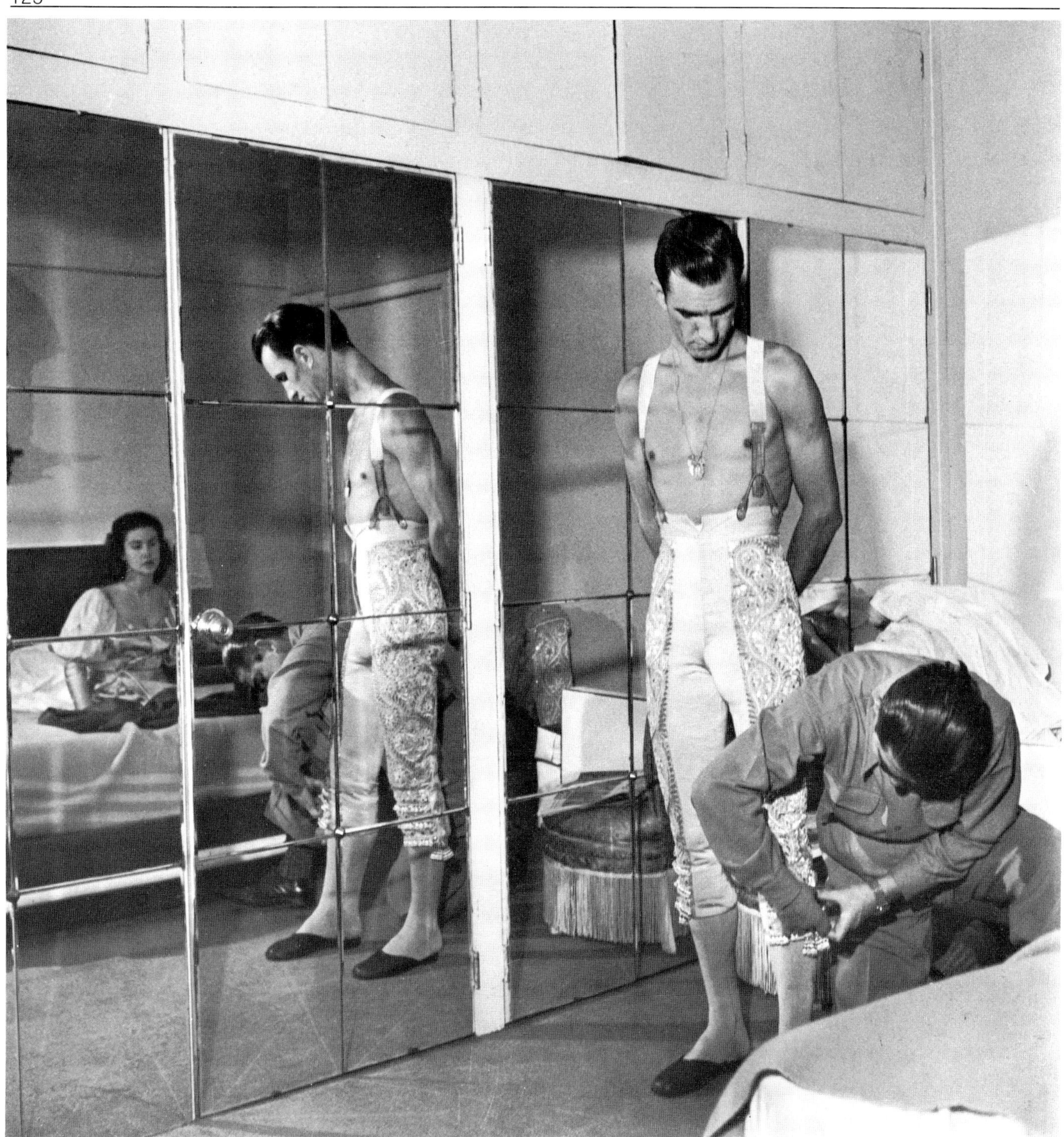

Torero revêtant l'habit
de lumière.

Devanture de boulangerie,
le 2 novembre, jour des Morts.

Femme égrenant du maïs.

Paysan sur la route.

Pages suivantes : Anahuac, la vallée de Mexico.

En Terre de Feu.

Le temps des musées

Depuis quelques années, la photographie connaît une vogue extraordinaire. Ce phénomène peut s'expliquer de plusieurs manières. La télévision a sensibilisé l'homme à l'image, dans le même temps que l'image, grâce aux progrès techniques, est devenue une chose familière à l'homme. Confrontés à la passion dont témoignent des millions d'amateurs à travers le monde, les musées, qui avaient d'abord ignoré ou refusé la photographie, lui ont ouvert leurs portes. Le musée est l'autorité incontestée en matière d'art. Accrochée aux cimaises, la photographie a retrouvé l'aura de l'œuvre d'art qu'elle avait perdue, lorsque le goût esthétique officiel du XIXe siècle avait vu en elle un sous-produit de l'art pictural. Réhabilitée, la photographie s'est imposée comme un moyen d'expression authentique, régie par ses lois propres, grâce à ceux qui ont su traduire ce qu'elle a d'unique et de spécifique.

Un second phénomène de notre temps est le nombre grandissant des galeries qui se sont spécialisées dans la vente de l'image. Des galeries d'art elles-mêmes, qui jusqu'alors n'exposaient que des peintures ou des sculptures, se sont décidées à accueillir les œuvres des photographes. Ce mouvement, qui tend à accorder une place de plus en plus grande à la photographie dans la vie artistique, a débuté aux États-Unis, il y a quelques années, et a été suivi par un mouvement similaire en Europe.

Collectionner des œuvres d'art a toujours été une passion de l'homme. Mais aujourd'hui, elles atteignent des prix si élevés, que leur acquisition n'est accessible qu'aux gens fortunés ou aux institutions. En revanche, une photographie reste (mais pour combien de temps encore?) à la portée des bourses plus modestes. Il y a toujours eu des collectionneurs d'images, mais ils ne s'intéressaient, jusqu'à une date récente, qu'à celles du XIXe siècle. Désormais, les œuvres de photographes contemporains sont recherchées, monnayées, et apparaissent pour la première fois dans les ventes publiques. Mis à part les musées et les universités qui constituent des collections, on compte actuellement aux États-Unis de quarante à cinquante collectionneurs capables d'investir des sommes parfois considérables dans l'achat d'épreuves signées ou de porte-folios d'artistes. Il ne faut pas oublier, pour autant, les milliers de petits collectionneurs qui aiment accrocher des photos aux murs de leur chambre ou de leur salle à manger. Pour eux, l'achat d'une photo est étranger à la spéculation et relève de leur seul plaisir.

Personne ne conteste plus que la photographie puisse appartenir aux arts graphiques. Récapitulant les activités du monde de la photo aux États-Unis pendant l'année 1976, le critique du *New York Times* et celui d'un grand journal de San Francisco donnaient à leurs articles presque le même titre.

« La photographie se trouve chez elle dans les galeries d'art », assurait l'un, tandis que l'autre constatait : « La photographie est devenue de droit un art. » Rapprochement significatif entre deux grandes villes d'un pays immense, aussi distantes l'une de l'autre que l'Europe du continent américain, et qui n'ont pas toujours accordé de la sorte leurs goûts et leurs choix esthétiques.

On a aujourd'hui tendance à distinguer la photographie documentaire de celle qui se veut tout entière expression d'art. Les maîtres reconnus de la photographie n'ont jamais fait cette distinction. Ils ne se souciaient pas du marché de l'« art »; ils se préoccupaient seulement de reproduire la réalité en l'interprétant selon leur sensibilité, et avec les moyens qui leur semblaient les plus appropriés.

« La photographie est le reflet de l'épanouissement intérieur », avait affirmé Edward Weston, le grand photographe américain, il y a un demi-siècle. Pour lui, cela voulait dire que la qualité d'art d'une photographie se mesure au degré d'émotion qu'elle provoque en nous. La remarque reste valable, aujourd'hui où les gens d'images ont à leur disposition des techniques nouvelles qui ont élargi immensément leur champ d'activité.

Le stroboscope, les appareils vidéo, les machines à photocopier, les rayons laser, les objectifs capables d'agrandir l'infiniment petit permettent de créer des œuvres surprenantes, souvent poétiques. La trajectoire d'une balle ou la chute d'une goutte de lait prise au millionième de seconde, le graphisme harmonieux et abstrait de cristaux ou de particules végétales, agrandis des milliers de fois, voire simplement le reflet multicolore d'une tache d'huile dans une flaque d'eau, autant d'images à partir du réel qui peuvent être d'une étrange beauté.

Mais ces prouesses techniques ne doivent pas nous leurrer. Créer une photographie qui possède son originalité, qui exprime une émotion que personne n'a encore su rendre, est aussi difficile que, pour le peintre, de faire un tableau qui exprime des idées neuves. La presse et l'édition publient quotidiennement des millions d'images, mais il est rare qu'on y découvre une grande œuvre, celle qui touche le cœur et enchante l'esprit. Pourtant, une photographie semble être une chose si facile à réaliser! C'est oublier qu'au-delà des données techniques, une photographie peut être une création mentale et l'affirmation d'une personnalité. Le merveilleux, dans la photo, c'est que son champ d'activité est infini et qu'il n'y a pas de sujets « usés à la corde » où, nous dit Brassaï, « un œil vierge ne puisse encore déceler les caractères de l'inédit et du nouveau ».

Révéler l'homme à l'homme, être un langage universel, accessible à tous, telle demeure, pour moi, la tâche primordiale de la photographie.

Iconographie sélective

Portraits : écrivains

France

Louis Aragon (1939, 1964, 1971), Marcel Arland (1970), Colette Audry (1968), Claude Aveline (1939, 1967), Henri Barbusse (1935), Hervé Bazin (1961), Simone de Beauvoir (1939, 1948, de 1953 à 1975), Samuel Beckett (1964), André Breton (1939, 1965), Michel Butor (1966, 1973), Roger Caillois (1939, 1967), Jean Cassou (1939, 1965), René Char (1971), Paul Claudel (1938), Jean Cocteau (1939), Colette (1939, 1954), Eugène Dabit (1935), Daniel-Rops (1960), Paul Desjardins (1938), Pierre Drieu La Rochelle (1934), Georges Duhamel (1938, 1956), Marguerite Duras (1965, 1973), Paul Éluard (1938), Léon-Paul Fargue (1939, 1948), Max-Pol Fouchet (1966), André Gide (1938), Jean Giono (1939, 1968), Jean Guéhenno (1935, 1967), Louis Guilloux (1938, 1971), Eugène Ionesco (1966, 1970, 1972), Jean Lacouture (1975), Michel Leiris (1966), Françoise Mallet-Joris (1965), André Malraux (1935, 1939, de 1964 à 1975), Félicien Marceau (1960), Gabriel Marcel (1965), François Mauriac (1938, 1967), André Maurois (1939, 1967), Albert Memmi (1968), Henri Michaux (1937, 1969, 1970), Adrienne Monnier (1935, 1938, 1953), Henry de Montherlant (1938), Paul Morand (1939), Paul Nizan (1939), Jean Paulhan (1937, 1964), Henri Pichette (1953), Jacques Prévert (1958), Raymond Queneau (1964), Alain Robbe-Grillet (1964, 1970), Christiane Rochefort (1964), Romain Rolland (1940), Jules Romains (1939, 1967), Denis de Rougemont (1939, 1967), Claude Roy (1954), Françoise Sagan (1961), Saint-John Perse (1965, 1967), Nathalie Sarraute (1965), Jean-Paul Sartre (1939, de 1963 à 1972), Jean Schlumberger (1939, 1954), Claude Simon (1967), Philippe Sollers (1974), Philippe Soupault (1948), Jules Supervielle (1939, 1961), Henri Thomas (1939, 1968), Elsa Triolet (1939, 1964), Henri Troyat (1960, 1968), Tristan Tzara (1939), Paul Valéry (1939), Charles Vildrac (1939, 1957), Louise de Vilmorin (1962), Marguerite Yourcenar (1971, 1974).

Allemagne

Walter Benjamin (1933, 1939), Bertolt Brecht (1935, 1954), Paul Celan (1965), Günther Grass (1972), Hermann Hesse (1962), Rolf Hochhuth (1968), Egon Erwin Kisch (1935), Heinrich Mann (1935), Stefan Zweig (1939).

Argentine

Hector Bianciotti (1975), Jorge Luis Borges (1943, 1952, 1971), Adolfo Bioy Casares (1943, 1975), Julio Cortazar (1967, 1976), Enrique Larreta (1943), Eduardo Mallea (1943), E. Martinez Estrada (1943), Manuel Mujica Lainez (1943), Victoria Ocampo (1939, 1964, 1972), Ernesto Sabato (1962).

Brésil

Jorge Amado (1973).

Canada

Mavis Gallant (1970), Anne Hébert (1955, 1975), Brian Moore (1957).

Chili

Vincente Huidobro (1943), Pablo Neruda (1945, 1965, 1971).

Colombie

German Arciniegas (1973).

Cuba

Alejo Carpentier (1962), Nicolas Guillen (1952, 1965).

Espagne

Rafael Alberti (1950, 1961), José Bergamin (1939), Leon Felipe (1952), José Ortega y Gasset (1939).

États-Unis

Sylvia Beach (1936, 1938, 1959), Erskine Caldwell (1959), Truman Capote (1966), Ivan Illich (1974), James Jones (1963, 1968), Robert Lowell (1964), Mary McCarthy (1963, 1964, 1977), Henry Miller (1960, 1961), Vladimir Nabokov (1938, 1967), Katherine Anne Porter (1970), Philip Roth (1970), Cornelius Ryan (1961), Irwin Shaw (1961), John Steinbeck (1961), William Styron (1968), Thornton Wilder (1939, 1957), Tennessee Williams (1959), Richard Wright (1951, 1958).

Grande-Bretagne

Kingsley Amis (1967), W.H. Auden (1963), Elizabeth Bowen (1939), Ivy Compton-Burnett (1959), Lawrence Durrell (1961), T.S. Eliot (1939), E.M. Forster (1935), Christopher Fry (1959), Graham Greene (1957), Pamela Hansford-Johnson (1959), Aldous Huxley (1935), Christopher Isherwood (1963), James Joyce (1938, 1939), Arthur Koestler (1939, 1967), Rosamond Lehmann (1959), Nancy Mitford (1960), Iris Murdoch (1959), J.B. Priestley (1959), Victoria Sackville-West (1939, 1946), G.B. Shaw (1939), C.P. Snow (1959), Stephen Spender (1939, 1963), H.G. Wells (1939), Angus Wilson (1959), Virginia Woolf (1939).

Grèce

Ulyssis Elitis (1973).

Guatemala

Miguel Angel Asturias (1962, 1968, 1970).

Israël

Martin Buber (1958), Gershom Scholem (1970).

Italie

Alberto Moravia (1963).

Mexique

Fernando Benitez (1973), Carlos Fuentes (1967, 1977), Octavio Paz (1962, 1971), José Revueltas (1973), Alfonso Reyes (1952).

Pologne

Witold Gombrowicz (1968).

Suisse

Friedrich Dürrenmatt (1961).

Tchécoslovaquie

Vadlav Hàvel (1969), Karel Kosik (1969), Milan Kundera (1969).

URSS

Bella Akhmadulina (1965), Dyomin (1972), Ilya Ehrenburg (1935), Yuri Kasakov (1965), Vladimir Maximov (1975), Nekrassov (1975), Panine (1975), Boris Pasternak (1935), Andrei Siniavsky (1975), Alexandre Soljénitsyne (1975), Andrei Voznesensky (1965), Yevgeny Yevtushenko (1963).

Portraits : peintres, sculpteurs, musiciens

Agam (1974), Pierre Bonnard (1947), Calder (1955), Pablo Casals (1958), César (1953, 1977), Marc Chagall (1959), José Luis Cuevas (1973), Salvador Dali (1967), Marcel Duchamp (1938, 1967), Max Ernst (1968), Alberto Giacometti (1965), Frida Kahlo (1952), Oskar Kokoschka (1967), Alfredo Lam (1968), Le Corbusier (1961), Richard Lindner (1970), Manessier (1972), Henri Matisse (1948), Georges Mathieu (1972), Darius Milhaud (1958, 1966), Henry Moore (1964), Charles Munch (1968), José Clemente Orozco (1952), Man Ray (1967), Diego Rivera (1952), Vieira da Silva (1968), David Alfaro Siqueiros (1952, 1973), Graham Sutherland (1963, 1967), Rufino Tamayo (1952).

Photoreportages

Allemagne (1932, 1968), Argentine (1943-44, 1950), Autriche (1935, 1964), Bolivie (1948), Canada (1949, 1969), Chili (1944), États-Unis (1949, 1970, 1976), Équateur (1947), France (à partir de 1933), Grande-Bretagne (1935, 1971), Hong-Kong (1970), Israël (1971), Japon (1970), Mexique (1950-52, 1973-74), Paraguay (1945), Pérou (1948), Suisse (1938, 1967), Tchécoslovaquie (1969), Uruguay (1951).

Arts

Mexique : civilisations précolombiennes : de Tlatilco, olmèque, aztèque, maya, toltèque, du Golfe, zapotèque, etc.
Pérou : civilisation Chimú.
Art colonial : Argentine, Équateur, Mexique, Paraguay.
Europe : France et Italie.

Table des photographies

2 Le mur de la Santé, Paris, 1975.
30 La vieille ville, Francfort, 1932.
31 Étudiants de l'Université, Francfort, 1932.
33 Vitrine d'un salon de coiffure, Paris, 1938.
34-35 L'île Saint-Louis, Paris, 1933.
36 Devanture de boutique près de l'Hôtel de Ville, Paris, 1935.
37 Vitrine du chemisier Hittler, boulevard de Sébastopol, Paris, 1935.
39 Enfant de chômeur, Tyneside, Angleterre, 1935.
40-41 Chantier naval abandonné, Tyneside, Angleterre, 1935.
42 Rue à Jarrow-on-Tyne, Angleterre, 1935. Chômeur, Tyneside, Angleterre, 1935.
43 Un dimanche à Newcastle-on-Tyne, Angleterre, 1935.
44 Femmes de chômeurs, Jarrow-on-Tyne, Angleterre, 1935.
45 Une rue à Newcastle-on-Tyne, Angleterre, 1935.
46-47 Vue de la fenêtre, Jarrow-on-Tyne, Angleterre, 1935.
48 Un club d'ouvriers chômeurs, Newcastle-on-Tyne, Angleterre, 1935.
49 Sans travail, Newcastle-on-Tyne, Angleterre, 1935.
50 Mineurs en chômage, dans le Cumberland, Angleterre, 1935.
51 Les mains de Joyce, Paris, 1938.
53-55 James Joyce, rue de l'Odéon, Paris, 1938.
56 Adrienne Monnier devant sa librairie, au n° 7, rue de l'Odéon, Paris, 1936.
57 James Joyce et Adrienne Monnier, rue de l'Odéon, Paris, 1938.
58-59 James Joyce, Sylvia Beach et Adrienne Monnier, dans la librairie *Shakespeare & Co,* au n° 12, rue de l'Odéon, Paris, 1938.
61 James Joyce chez lui, Paris, 1938.
63 Evita Peron, Buenos Aires, 1950.
64 Evita Peron, ses bijoux, son coiffeur et sa manucure, Buenos Aires, 1950.
65 Les chapeaux d'Evita Peron, Buenos Aires, 1950.
66-67 Les « bonnes œuvres » d'Evita Peron, Buenos Aires, 1950.
68-69 Le général et Evita Peron se préparent pour le gala de l'Indépendance, Buenos Aires, 1950.
70 L'armée argentine défilant à Buenos Aires, 1950.
71 La main d'un radiesthésiste, Paris, 1954.
72 Voyante lisant les lignes de la main, Paris, 1954.
73 Un astrologue, Paris, 1954.
74 Radiesthésiste; cartomancienne; Paris, 1954.
75 Médium, à la société spirite; voyante, rue des Escouffes; Paris, 1954.
76 La tombe d'Allan Kardec, au cimetière du Père-Lachaise, Paris, 1954.
77 La « psychanalyse médiumnique » de Mme De Sylvia, Paris, 1954.
79 Virginia Woolf, Londres, 1939.
81 Colette, Paris, 1939.
83 Virginia Woolf, Londres, 1939.
85 André Gide, sous le masque de Leopardi, dans son appartement de la rue Vaneau, Paris, 1938.
86 James Joyce, Paris, 1939.
87 Adrienne Monnier, Paris, 1938.
88 Marguerite Yourcenar, Desert Island, Maine, États-Unis, 1974.
89 Mount Desert Island, Maine, États-Unis, 1974.
91 Jean Cocteau, Paris, 1939.
92 Walter Benjamin, Paris, 1939.
93 Pablo Neruda, Chili, 1945.
94 Simone de Beauvoir, Paris, 1939.
95 Jean-Paul Sartre, Paris, 1939.
96 Stefan Zweig, Londres, 1939.
97 Hermann Hesse, Montagnola, Suisse, 1962.
98 Eugène Ionesco, Paris, 1966.
99 Henri Michaux, Paris, 1970.
100 André Breton, Paris, 1939.
101 André Breton, chez lui, rue Fontaine, Paris, 1966.
102 André Malraux, Paris, 1935.
103 André Malraux, Paris, 1939.
104-105 André Malraux, La Lanterne, Versailles, 1968.
107 Samuel Beckett, Paris, 1964.
108 Alexandre Soljénitsyne, Paris, 1975.
109 Ivan Illich, Mexico, 1974.
110 Le Cannet, Alpes-Maritimes, 1947.
111 Pierre Bonnard, Le Cannet, 1947.
112 Henri Matisse, Paris, 1948.
115 Paysan revenant d'un pèlerinage, Mexique, 1974.
116-117 Diego Rivera devant sa fresque, *la Création du Monde,* Mexico-City, 1951.
118-119 Une rue à Mexico-City, 1952.
120 Un marché en plein air, Mexique, 1952.
123 L'enfant de Jésus, Mexique, 1974.
124 Devanture de boulangerie, le 2 novembre, jour des Morts, Mexico-City, 1951.
125 Torero revêtant l'habit de lumière, Mexique, 1951.
126 Paysan, Mexique, 1974.
127 Femme égrenant du maïs, Mexique, 1951.
128-129 Anahuac, la vallée de Mexico, 1951.
130 En Terre de Feu, Argentine, 1944.

Ouvrages de Gisèle Freund

La Photographie en France au dix-neuvième siècle,
La Maison des amis des livres, A. Monnier, Paris, 1936.
Editorial Losada, Buenos Aires, 1947.
Rogner & Bernhard, Munich, 1968.
(épuisé)

Mexique précolombien,
Éditions Ides et Calendes, Neuchâtel, 1954.
Hanns Reich Verlag, Munich, 1955.
(épuisé)

James Joyce in Paris. His final years,
Harcourt, Brace & World Inc., New York, 1965.
Cassel, Londres, 1966.
(épuisé)

Le Monde et ma Caméra,
Denoël/Gonthier, Paris, 1970.
Dial Press, New York, 1974.

Photographie et Société,
Éditions du Seuil, Paris, 1974, coll. « Points Histoire », réédité en 1975.
Des traductions de cet ouvrage ont paru en Allemagne, en Italie, en Espagne, en Suède et aux États-Unis.

La composition a été faite par arts graphiques DMC,
la photogravure en noir par Photomatic,
la photogravure en couleurs par Draeger,
le volume a été achevé d'imprimer en 1977, sur les presses
de l'imprimerie moderne du Lion à Paris.
Dépôt légal : 2e trimestre 1977.